Nous remercions le ministère du Patrimoine canadien,
la SODEC et le Conseil des Arts du Canada
de l'aide accordée à notre programme de publication

Patrimoine canadien
Canadian Heritage

ainsi que le Gouvernement du Québec
– Programme de crédit d'impôt
pour l'édition de livres
– Gestion SODEC.

Illustration de la couverture :
Catherine Trottier

Couverture :
Conception Grafikar

Édition électronique :
Infographie DN

Dépôt légal : 2e trimestre 2004
Bibliothèque nationale du Canada
Bibliothèque nationale du Québec

123456789 AGMV 0987654

ISBN-2-89051-902-3
11120

MISSION EN OUZBÉKISTAN

DU MÊME AUTEUR
AUX ÉDITIONS PIERRE TISSEYRE

Collection Chacal
Les messagers d'Okeanos, 2001.
Sur la piste des Mayas, 2002.
Les démons de Rapa Nui, 2003.

Données de catalogage avant publication (Canada)

Devindilis, Gilles

Mission en Ouzbékistan

(Collection Chacal ; 27)
Une aventure de Laurent Saint-Pierre
Pour les jeunes de 12 ans et plus.

ISBN 2-89051-902-3

I. Titre II. Collection III. Collection : Devindillis, Gilles. Aventure de Laurent Saint-Pierre.

PZ23.D488Mi 2004 j843'.914 C2004-940695-7

MISSION EN OUZBÉKISTAN

Une aventure de Laurent Saint-Pierre

Gilles Devindilis

aventure

ÉDITIONS
PIERRE TISSEYRE

5757, rue Cypihot, Saint-Laurent (Québec) H4S 1R3
Téléphone: (514) 334-2690 – Télécopieur: (514) 334-8395
Courriel: ed.tisseyre@erpi.com

1

Conférence à l'université

L'appartement était perché au dernier étage d'un immeuble ancien, situé au cœur du Vieux-Montréal. Il possédait de petites baies vitrées à croisées blanches, offrant, à l'est, une vue sur le Saint-Laurent et sur les bateaux de tout acabit qui y croisaient. Peut-être était-ce la principale raison qui avait poussé son occupant, dont on apercevait la silhouette derrière les vitres, à le choisir comme logement.

De fait, Laurent Saint-Pierre aimait cette vue. Le va-et-vient des cargos et autres navires était pour lui un véritable passe-temps. Il pouvait ainsi rêver aux contrées lointaines, embrumées de mystère, vers lesquelles ils voguaient lorsqu'ils gagnaient la mer. C'était

un peu cela son problème : une imagination qu'il avait du mal à réfréner, et qui, parfois, l'entraînait plus loin qu'il ne l'eût souhaité.

Laurent reporta son attention sur le message imprimé qu'il tenait en main. Il le lisait pour la dixième fois au moins. Ce message lui avait été adressé par Olivier Saint-Pierre, son père, en mission pour Médecins du Monde dans la région de Noukous, en Ouzbékistan. Connaissant l'engouement de Laurent pour l'écologie, il lui avait signalé l'existence, à proximité de l'endroit où œuvrait sa mission, d'un vaste projet de réhabilitation de l'écosystème de la mer d'Aral. Si cela intéressait son fils d'y participer, il appuierait sa demande.

Lorri avait entendu parler de la mer d'Aral, la « mer qui se meurt ». Elle était le foyer d'une catastrophe écologique sans précédent. Si rien n'était fait pour enrayer son assèchement, elle serait irrémédiablement condamnée. Après avoir longtemps tergiversé, la Communauté internationale s'était enfin décidée à fournir de l'aide au Kazakhstan et à l'Ouzbékistan. Un projet était né. Ce sauvetage, décrit brièvement par Olivier Saint-Pierre, avait séduit Laurent. Il avait répondu positivement à la proposition de son père.

Ce parti pris pour les causes perdues était monnaie courante chez les Saint-Pierre. La famille ne passait pas sa vie dans ses pantoufles. Bien au contraire, elle semblait atteinte de bougeotte aiguë. Olivier aurait très bien pu exercer à Québec ou à Montréal. Il avait choisi d'aller où la misère humaine était la plus pressante. Son épouse, Anne Granger Saint-Pierre, était peintre. Ses toiles avaient acquis une certaine renommée, ce qui la poussait à courir de galerie en galerie pour y exposer ses œuvres, mais aussi celles d'artistes débutants. Marine, la cadette, n'avait que seize ans, mais on devinait déjà en elle le même sang bouillonnant. Quant à Laurent, il avait inscrit sur la couverture de son carnet de voyage, dans lequel il consignait ses tribulations, une formule empruntée à un aventurier célèbre, le commandant Morane : *le monde est mon royaume*. Cette formule traduisait parfaitement le sentiment qui l'animait. Il n'avait qu'une hâte, celle de parcourir, lui aussi, les sentiers de ce vaste monde.

Lorri reporta les yeux sur le fleuve. Il faisait lourd. De gros nuages s'amoncelaient dans le ciel, annonciateurs d'un orage ou d'une pluie battante. Ce changement de temps aurait au moins l'avantage de rafraîchir l'atmosphère. Pour avoir un peu d'air, il ouvrit la porte-fenêtre du balcon.

Un premier coup de tonnerre claqua au loin, suivi de la pétarade plus modeste d'une moto, une Harley-Davidson. Laurent avança la tête, jeta un coup d'œil en bas. Keewat rentrait. « Zut ! Raté, pensa-t-il avec regret. Il aurait pu se taper une bonne douche. J'aurais bien rigolé. »

Il relut brièvement les dernières lignes du message avant de le ranger définitivement au fond d'un tiroir. À demi-mots, Olivier Saint-Pierre lui dévoilait, dans le cas où ce projet l'intéresserait, que ce serait une joie de travailler avec son grand fils près de lui.

Lorsqu'il était enfant, Lorri avait souffert des absences répétées de son père. Puis, en grandissant, il avait compris que l'univers ne se limitait pas seulement au cercle familial, même si celui-ci était indispensable. À l'extérieur, il y avait un monde qui exigeait qu'on s'intéresse à lui.

Il entendit la porte d'entrée se refermer. Keewat apparut, les bras chargés de sacs à provisions. Aujourd'hui, c'était son tour de faire les courses.

— Il va tomber une sacrée averse ! dit l'Indien en se dirigeant vers le réfrigérateur.

Un nouvel éclair zébra le ciel, puis de grosses gouttes se mirent à cingler les vitres. Lorri referma rapidement la porte coulissante.

— Tiens ! Qu'est-ce que je disais ! continua le Tchippewayan. À quelques minutes près, je me payais un lavage gratuit... Soixante-trois dollars et quarante cents. Je mets ça sur la note commune.

Keewat avait une silhouette identique à celle de son compagnon d'aventures dont il colouait l'appartement. Un mètre quatre-vingt-sept et quatre-vingt-cinq kilos de muscles. Ses cheveux de même longueur, retenus par un bandeau, étaient d'un noir de jais. Tous deux se connaissaient dcpuis plusieurs années maintenant, et lorsque Lorri, décidé à vivre sa vie comme il l'entendait, avait quitté le domicile familial de Québec pour venir s'installer à Montréal, Keewat avait accepté sa proposition de partager avec lui l'appartement. Ils avaient donc emménagé dans cette rue, près du Vieux-Port.

Lorri appréciait le côté cosmopolite de la ville. Plus que partout ailleurs, on y rencontrait des gens issus des quatre coins du globe. Combien de mois par an les deux amis occuperaient-ils réellement le logement ? C'était une autre histoire, avec leur envie de toujours être là où ils n'étaient pas…

De blanc, le ciel virait maintenant à l'anthracite. Les éclairs se succédaient à un rythme effréné. Les grondements qui les accompagnaient faisaient parfois vibrer les vitres. Hypnotisé par la pluie dégoulinant en petits torrents verticaux, Laurent assistait au déchaînement des éléments.

— À ta place, je ne resterais pas à la fenêtre, dit Keewat en se laissant choir dans un des fauteuils composant le mobilier sommaire de la pièce. Ma grand-mère me racontait que le tonnerre qui gronde, ce sont les ancêtres qui se plaignent. Il ne faut pas les défier.

— Je ne défie personne. Tu dis des niaiseries. De toute manière, avec le paratonnerre sur le toit, nous ne risquons pas grand-chose.

Un coup d'une intensité inouïe claqua soudain. L'éclairage de la pièce s'éteignit, les plongeant dans une quasi-obscurité.

— Tu parlais de niaiseries ? ironisa l'Indien.

— Rien de surnaturel là-dedans, et tu le sais bien. Ne te fais pas plus superstitieux que tu ne l'es, même si tes origines te le permettent. Les décharges électriques de la foudre

sont si violentes qu'elles peuvent provoquer des pannes de courant. Je te parie que d'ici dix secondes, les lampes vont se rallumer… Un… deux… trois… quatre… Ahhh ! Et voilà !

— À propos, reprit le Tchippewayan en ignorant le sourire moqueur de son compagnon, à quelle heure commence la conférence ?

— Bon sang ! Dans une heure à peine. Si nous ne voulons pas rater le début, il faut y aller.

La conférence en question, « Aral, la mer qui se meurt », avait lieu dans un des amphis de l'Université du Québec. C'était une coïncidence, rien de plus. Les deux amis en avaient eu connaissance alors qu'ils sirotaient une bière dans une boîte d'étudiants, sur le Plateau. Elle couronnait le stage d'étude d'une jeune Ouzbek : Roxane Novoï. Comme ils s'envolaient à destination de l'Ouzbékistan dans quelques jours, ils tenaient à y assister. Ce qu'ils pourraient y apprendre viendrait étoffer les connaissances qu'ils avaient déjà emmagasinées sur ce pays.

Les préparatifs de leur futur voyage avaient été rapidement bouclés. Sans l'appui d'Olivier Saint-Pierre et son rôle de répondant, cela aurait sans doute pris beaucoup plus de temps.

Les démarches en avaient été d'autant simplifiées. Bien sûr, il restait des tas d'inconnues. L'Ouzbékistan était situé en Asie centrale, région politiquement tourmentée. Ce pays partageait cette zone géographique, située entre la mer Caspienne et la Chine, avec quatre autres républiques : le Kazakhstan, le Tadjikistan, le Turkménistan et le Kirghizistan. Jadis, le Bloc soviétique avait créé ces cinq républiques à partir de groupes ethniques aux modes de vie assez dissemblables : les Turkmènes, les Ouzbeks, les Tadjiks, les Kirghiz, les Kazakhs, les Russes, et quelques autres, plus modestes. Certains de ces peuples étaient nomades ; d'autres, complètement sédentaires.

Lors de l'éclatement de l'URSS, il ne fut pas aisé de maintenir la cohésion au sein de ce patchwork d'ethnies qui, d'un coup, se retrouvèrent livrées à elles-mêmes. La proximité de l'Afghanistan, pays instable, meurtri par d'incessants combats et soulèvements, ne facilita pas les choses. Aujourd'hui, ces républiques tendaient vers une certaine démocratie. Les choses n'y étaient sans doute pas parfaites, mais c'était un progrès, encouragé par l'Aide internationale. Au Kazakhstan et en Ouzbékistan, la réhabilitation de la région

d'Aral était un exemple de cette coopération indispensable. Il n'était pas si éloigné le temps où Ouzbeks et Kazakhs se disputaient encore la mer. Aucun projet n'aurait pu aboutir dans ces conditions.

— Inutile de songer aux motos, laissa tomber Lorri en désignant la pluie qui redoublait d'intensité. Nous serions trempés comme des hameçons à l'ouvrage.

— Quand je pense que nous allons à la rencontre d'une mer qui crève de soif ! s'exclama Keewat. Ces nuages gonflés comme des outres lui seraient bien utiles !

Ils endossèrent leurs imperméables et gagnèrent le rez-de-chaussée pour rejoindre la station de métro la plus proche. La rame était bondée. Comme eux, bien des gens avaient cherché à se soustraire aux intempéries. Ils descendirent à la station Berri-UQÀM et retrouvèrent la rue avec soulagement, même s'il pleuvait à boire debout.

L'amphithéâtre n'était rempli qu'à moitié. Ils n'eurent aucun souci à trouver deux places à courte distance de l'estrade occupée par la conférencière.

— Pas mal ! murmura Lorri en ôtant sa veste australienne perlée de pluie. Si le ramage vaut le plumage....

— Mon pauvre vieux, tu ne penses qu'à ça ! protesta l'Indien en haussant les épaules. Comme si nous étions ici pour....

— Ne me dis pas que tu la trouves insignifiante, coupa Laurent. Oh ! Et puis, je disais ça comme ça.

« Mesdames, messieurs, merci d'avoir répondu à mon invitation, commença l'étudiante avec un accent qui ne trompait guère sur ses origines, où les "r" roulaient comme des roues de Zil [1]. »

Roxane Novoï avait une jolie silhouette. Son visage présentait les caractéristiques des femmes slaves : des yeux légèrement bridés et des pommettes saillantes. Ses cheveux foncés étaient ramassés en chignon de mèches torsadées. Pour l'occasion, elle était vêtue d'un chemisier et d'une jupe brodés, sans doute une tenue traditionnelle de son pays.

Elle illustra son exposé de nombreuses projections. Il n'y avait pas d'autres mots, la disparition programmée de la mer d'Aral était une catastrophe. Laurent et Keewat n'ignoraient pas l'origine du désastre. On avait détourné l'eau coulant des montagnes du Tian Shan alimentant deux grands fleuves,

---

[1] Grosse limousine russe.

le Syr-Daria et l'Amou-Daria, pour l'irrigation de gigantesques champs de coton. Par contre, ils ignoraient quel avait été le point de départ précis de cette catastrophe. Roxane Novoï le leur apprit. La spécialisation cotonnière de cette région, qui s'étale sur l'Ouzbékistan et le Kazakhstan, remontait au XIXe siècle. À cette époque, les Russes et les Anglais se battaient pour le contrôle du Turkestan. Devant l'expansion colonialiste de la Russie vers l'Inde, les Anglais fermèrent leur marché du coton aux acheteurs russes, privant ces derniers d'approvisionnements vitaux. Pour faire face à la pénurie provoquée par la décision anglaise, les tsars encouragèrent fortement la production locale du coton, au détriment des autres espèces végétales. L'irrigation à outrance commença alors. Dès le début du XXe siècle, le niveau de la mer d'Aral se mit à baisser. En effet, l'eau nécessaire aux cultures était prélevée directement dans les deux seuls fleuves se déversant dans cette mer, le Syr-Daria et l'Amou-Daria. Lorsque survint l'effondrement de l'empire des tsars, les nouveaux gouvernants de la Russie ne firent que renforcer cette monoculture intensive. Dans les années 1930, on creusa le grand canal turkmène, puis un autre, pour

approvisionner la ville de Boukhara. L'eau fut littéralement gaspillée. Après la Seconde Guerre mondiale, l'URSS, qui remplaça la Russie dans sa rivalité avec l'Occident, annonça des rendements records. Les Soviets brandissaient l'étendard de leur savoir-faire. Derrière tout cela se cachait une énorme duperie. L'augmentation de la production du coton n'était due qu'à un accroissement des surfaces irriguées. Les besoins en eau devinrent faramineux. Pour couvrir ces besoins, on ponctionna soixante-dix pour cent du cours des fleuves. Les trois quarts de ces prélèvements furent à jamais perdus pour l'Aral, car l'eau s'infiltrait dans le sol et n'arrivait plus à la mer. Le quart restant qui la rejoignait regorgeait de pesticides, de sels et de produits chimiques utilisés pour les cultures. En 1957, le niveau de la mer s'élevait encore à cinquante-trois mètres au-dessus du niveau zéro ; en 1989, ce niveau n'atteignait plus que trente-neuf mètres, soit une diminution de quatorze mètres en trente ans. Un demi-mètre par an ! Et cela avait continué. Comme la mer d'Aral s'avérait peu profonde, ce fut surtout sa surface qui diminua. Elle finit par se diviser en deux. Au nord subsiste « la Petite mer ». Aralsk, jadis port de

pêche prospère, se trouve aujourd'hui à cent kilomètres du rivage. Même phénomène au sud, pour Moujnak, un autre port fantôme.

Roxane Novoï illustra ses derniers propos par de nouveaux clichés, ceux de carcasses de bateaux ensablées et rongées par la rouille.

Cette vision fit frémir Laurent. Elle signifiait la progression inéluctable du désert, un désert honteusement pollué, là où jadis s'étalait la mer. Le triomphe de la mort sur la vie... Un sentiment de désolation, voire d'apocalypse, le prit à la gorge, l'étouffa de tristesse.

« Vous pourriez croire, reprit Roxane Novoï, que ce prix payé, exorbitant, a eu une contrepartie positive sur l'agriculture de la région. Détrompez-vous. Le long du Syr-Daria et de l'Amou-Daria, les champs de coton sont striés de traînées blanchâtres. Il s'agit de remontées de sels minéraux en provenance du sol, révélatrices d'une irrigation mal maîtrisée. Ces remontées stérilisent peu à peu les terres. Plus d'un million d'hectares sont ainsi perdus. »

— Quel gâchis ! murmura Keewat. Ça me fait penser à notre forêt boréale. Là où s'était installé, au cours de millions d'années, un fragile équilibre, à cause des coupes

intensives et du reboisement artificiel que l'on y pratique depuis des décennies, il ne subsistera plus qu'une seule espèce d'arbres servant à la pâte à papier… Et qui, à son tour, sera coupée. *Edzil'*… La mort.

Lorri partageait un peu les inquiétudes de son compagnon depuis qu'il avait vu le film documentaire de Richard Desjardins sur les forêts du Québec, *L'erreur boréale*. D'importants problèmes écologiques couvaient peut-être dans leur propre pays.

« Pour revenir à l'assèchement de la mer d'Aral, poursuivit la jeune Ouzbek, sachez qu'autrefois, elle recevait des montagnes soixante kilomètres cubes d'eau par an. Cet afflux d'eau compensait l'évaporation naturelle. En 1975, cet apport était descendu à dix kilomètres cubes. Aujourd'hui, le delta de l'Amou-Daria est complètement asséché. La mer ne reçoit plus d'eau. Elle… meurt, parvint-elle à dire avec un sanglot dans la voix. La pêche a disparu. L'agriculture périclite. À cause de la pollution, la mortalité des enfants bat des records… »

— Voilà la raison de la présence de Médecins du Monde et celle de papa, dit Lorri. J'espère qu'il n'est pas trop tard. Tu te rends compte ? Assassiner une mer !

L'exposé dura encore une demi-heure avant que Roxane Novoï ne conclue sur une petite note d'espoir :

« Une collaboration internationale efficace, ainsi que votre soutien, éviteront peut-être à la mer d'Aral de pousser son dernier soupir. Je compte sur vous. J'aimerais, en signe d'adieu, vous chanter un air de mon pays... »

2

Sur le départ

Il n'y eut pas d'applaudissements mais un brouhaha confus traduisant une certaine gêne. La passion avec laquelle Roxane Novoï avait chanté toucha Keewat. Lorsque la voix de l'étudiante s'était brisée d'émotion, sur la dernière note, une boule lui était montée à la gorge. Il ignorait ce qu'en pensait Lorri, mais lui, il se sentait le devoir d'aller la réconforter.

— Si nous allions nous présenter ? dit-il. Nous lui montrerions que son plaidoyer n'est pas resté lettre morte et qu'il mobilise déjà certaines troupes…

— Tu as raison. Ça ne pourra que l'encourager, répondit Laurent avec une drôle de voix.

Ils se levèrent. Par politesse, Lorri s'effaça devant une auditrice dont le parfum, suave, lui titilla les narines.

«Jasmin !» pensa-t-il en suivant l'étrangère des yeux. Comme Roxane Novoï, elle était asiatique. Sa démarche féline trahissait une pratique assidue du sport. Une longue tresse descendait jusqu'au creux de ses reins à la cambrure de guêpe.

Il gagna le bas de l'amphi où l'attendait déjà Keewat.

— Mademoiselle, permettez-nous de vous féliciter pour votre exposé, commença ce dernier d'une voix chaleureuse. Il nous a beaucoup touchés. Mon nom est Keewat. Lui, c'est Laurent.

— Lorri pour les amis.

— Enchantée, répondit la jeune Ouzbek. S'il vous a touchés, mon but est atteint. Si vous voulez, je peux vous donner les coordonnées de notre association. Il vous suffira de la contacter, par courriel par exemple, et on vous donnera des tas d'informations sur notre action. Ça vous intéresse ?

— Plus que cela, si je peux dire, enchaîna Lorri. Nous partons dans quelques jours pour l'Ouzbékistan rejoindre le Centre expéri-

mental de restauration de l'écosystème de la mer d'Aral.

— Ho ! Le CERÉMA… J'en ai entendu parler, bien sûr. Des spécialistes de tous horizons y travaillent activement… C'est très bien. Mais la tâche est immense et les besoins financiers énormes. J'espère que la Communauté internationale ne lâchera pas mon pays en cours de route… et qu'il n'est pas trop tard. Il ne resterait plus alors à la mer qu'à se venger d'avoir été si maltraitée, n'est-ce pas ?

— Se venger ? Je ne saisis pas, avoua Lorri avec un sourire coincé.

— « Les larmes d'Aral »… Le jour où la mer pleurera, le monde connaîtra sa fin… Mais je dois vous quitter. Bonne chance à tous les deux et merci pour votre engagement. Qui sait ? Nous nous rencontrerons peut-être un de ces jours sur l'Amou-Daria. Excusez-moi, je suis pressée.

Elle s'éloigna d'un pas alerte après avoir rassemblé les notes de son exposé.

— Qu'a-t-elle bien voulu dire par « les larmes d'Aral », laissa tomber Lorri, songeur.

— Une légende, suggéra Keewat. Il doit en exister dans son pays autant que chez nous. Elle a l'air drôlement fébrile !

— Une petite interview, s'il vous plaît, messieurs, lança une voix derrière eux. Lisa Lapointe... du *Globe-Horizons.*

Les deux amis louchèrent sur le micro, plutôt effronté, de la journaliste. Impossible de se dérober sans passer pour des impolis, même si l'attitude de cette dernière méritait qu'on le fasse.

— Nous sommes à ce point célèbres, ironisa le Tchippewayan.

— J'ai entendu votre conversation avec Roxane Novoï. Ça ne sera pas long. Juste quelques mots et une petite photo... D'accord ? On y va !

Ils se prêtèrent au jeu. Après tout, cela ne ferait qu'ajouter un peu de publicité au projet dans lequel ils allaient s'investir.

Comme le leur avait promis la journaliste, l'interview ne dura que quelques minutes. Ils quittèrent l'amphithéâtre et retrouvèrent la rue. Amateur de belles bagnoles, Laurent remarqua la limousine qui quittait le trottoir à quelques mètres d'eux.

— Une Lincoln « Town Car » ! On ne se refuse rien, ma parole.

À l'intérieur, il crut reconnaître l'inconnue au jasmin.

— Moi, j'appelle ça un « char de mafioso », si tu veux mon avis, dit Keewat en haussant les épaules.

— Un mafioso qui se parfume au jasmin. Il, ou plutôt elle, était dans l'amphi…

Les feux arrière de la grosse automobile disparurent, absorbés par la circulation. La pluie avait cessé, laissant l'asphalte des rues ruisselant, où se reflétaient les éclairages urbains. Ils gagnèrent la station de métro.

Malgré l'heure tardive, ils avaient concocté des sandwiches. Lorsqu'ils disposaient d'un peu plus de temps, il leur arrivait de se lancer, à tour de rôle, dans l'élaboration de recettes traditionnelles. Leurs essais n'étaient pas toujours concluants, loin s'en faut, mais ils leur permettaient d'apprendre un peu mieux la cuisine. Une manière d'éviter les sempiternelles pizzas ou les poutines des déjeuners sur le pouce, et, surtout, d'ingurgiter une nourriture plus saine.

Lorsqu'il eut englouti la dernière bouchée de son sandwich tomate, poulet, salade, cornichons, Lorri disparut dans sa chambre. Ils

s'étaient organisés pour avoir chacun la leur et disposer ainsi d'une certaine intimité. Pour la douzième fois peut-être, Laurent passa en revue le contenu de son sac. Il était fébrile, comme chaque fois qu'il se préparait à partir en voyage. Pas question de se charger comme un âne. Sur place, il improviserait s'il lui manquait quelque chose.

Le trajet jusque Tachkent, la capitale de l'Ouzbékistan, était parfaitement planifié. La suite dépendrait du moyen de locomotion qu'ils trouveraient. En principe, ils emprunteraient la ligne ferroviaire principale pour gagner l'intérieur du pays. Cette ligne traversait des zones peu sûres où, selon certaines sources, il n'était pas rare de rencontrer des gardes trop zélés ou même des groupuscules intégristes. Les conflits à répétition du Moyen-Orient provoquaient des tensions qui se faisaient sentir bien au-delà, en particulier dans les territoires où s'opposaient occidentalisme et conservatisme religieux. Il faudrait s'en accommoder.

La prise de conscience de la catastrophe de la mer d'Aral remontait à une vingtaine d'années. Longtemps cachée par les responsables soviétiques, elle avait fini par être dévoilée à l'Occident lorsque l'URSS s'était

effondrée. De grandes organisations, comme les Nations Unies, tentèrent alors de mettre sur pied des plans de sauvetage écologique. Certains, trop démesurés, avaient vite été abandonnés. D'autres, échelonnés à long terme, prévoyaient une collaboration étroite entre autorités locales et internationales. Parmi eux figurait le programme de réhabilitation du delta de l'Amou-Daria auquel Keewat et Lorri devaient se joindre.

En quoi consistait ce programme ? L'implantation d'unités de traitement des eaux ; la modernisation des canaux d'irrigation, ceux-ci devant être moins nombreux et plus efficaces ; la diversification des cultures et le reboisement ; la création de petites exploitations agricoles expérimentales ; le rétablissement graduel des écosystèmes. Tout cela nécessitait des têtes pensantes, mais aussi de la main-d'œuvre. Leur participation, si modeste soit-elle, serait riche d'enseignements et bénéfique au projet.

Lorri se passa la main dans les cheveux. Il les avait un peu désépaissis. Cela devrait lui permettre de supporter plus facilement les fortes chaleurs des déserts d'Ouzbékistan.

Son paquetage semblait complet. Inutile de se triturer les méninges plus longtemps,

l'aventure devait receler une part d'imprévu, sinon ce n'était plus de l'aventure.

Il jeta un regard vers la photo laminée suspendue au mur. *La Morrigane.* Un ketch qui lui appartenait et qu'il avait entièrement restauré avec l'aide physique et financière de Keewat. Le visage de Cynthia se superposa au bateau. Le voilier et la petite amie étaient loin, là-bas, dans le Pacifique. Pour rentabiliser son bateau, Lorri n'avait eu d'autre alternative que de le mettre à la disposition du Centre de recherches scientifiques de Paris pour lequel elle travaillait. À la requête des supérieurs de la jeune femme, le premier voyage d'exploration de *La Morrigane* avait duré plus longtemps que prévu. En principe, à la fin de leur séjour en Ouzbékistan, Cynthia serait de retour dans la capitale française. Il en profiterait pour aller la voir.

Entre eux, il y avait plus que de l'amitié ; de cela, il en était certain. Était-ce de l'amour ? Cynthia entretenait une certaine réserve là-dessus, à son grand regret.

Dans le même ordre d'idée, après avoir passé de longs moments ensemble, Keewat et Aude s'étaient séparés. Pas définitivement, il ne le pensait pas. Le temps de faire le point…

Décidément, les relations avec les filles étaient plutôt compliquées.

— Parfois, fit l'Indien en pénétrant dans la pièce, je me demande ce qui me pousse à toujours aller voir ailleurs… J'aime profondément me retrouver chez moi, dans le Nord-Ouest, au sein de ma tribu. Mais lorsque j'y suis, la brise du large ne tarde jamais à me rattraper… Ici, l'appartement est sympa. À peine y ai-je déposé mon sac que des fourmis me picotent les jambes.

— Ouais ! C'est pareil pour moi. Mieux vaut ne pas chercher à comprendre… J'ai laissé un courriel dans la boîte aux lettres du professeur de Grands-Murs. Ces « larmes d'Aral » m'intriguent. Peut-être pourra-t-il nous dire quelque chose là-dessus ?

— S'il ouvre sa messagerie ! Tu le connais, ce n'est pas un fanatique d'informatique… Waaaa ! En attendant, je tombe de sommeil. À demain, si le Grand-Esprit le veut, mon frère !

Laurent passait rarement une nuit sans rêver. Cette fois-ci encore, cela se vérifia. Lorsqu'il se réveilla, il ne lui restait que quelques

lambeaux des visions oniriques qui avaient agité son sommeil, mais elles hantaient encore son esprit. Ces visions avaient un rapport avec Roxane Novoï. La jeune femme lui était apparue, gigantesque. Elle pleurait des larmes… démesurées. En tombant, chacune de ces larmes venait grossir des flots débordants. Lui, il nageait, nageait, pour éviter de se noyer. Autour de lui, il y avait des tas de débris flottants… et des cadavres. Par chance, *La Morrigane* passait par là. Cynthia le recueillait à bord. Il tombait dans ses bras, épuisé. Le reste, il ne s'en souvenait plus. À moins qu'il ne se soit plus rien passé au moment où le cauchemar aurait pu se transformer en quelque chose de plus excitant. Décidément, quels que soient les événements, les filles restaient maîtresses de la situation.

— Tu en fais une tête, se moqua Keewat.

— Mal dormi, répondit-il en grognant.

Il ouvrit le réfrigérateur, saisit le carton de jus d'orange et s'en versa un grand verre. Il engloutit ensuite trois poignées de céréales avant de se sentir enfin ragaillardi. La douche qu'il prit peu après lui remit les yeux en face des trous.

— Tu as vérifié le courrier électronique ? demanda-t-il au Tchippewayan.

— Pas pensé.

— J'y vais. Le professeur a peut-être répondu.

L'ordinateur couina avant d'afficher la messagerie. Il y avait un courriel. Il était de Blaise de Grands-Murs, leur ami archéologue.

«Salut, Laurent... J'espère que vos préparatifs de voyage sont achevés. Ils doivent l'être puisque le départ est proche pour vous. Encore une fois, je vous félicite pour l'orientation que vous donnez à vos jeunes vies. En ce qui concerne ta question, j'ai entendu parler des "larmes d'Aral" lors d'un séjour effectué en Ouzbékistan, il y a déjà pas mal de temps. Des fouilles avaient révélé l'existence de vestiges datant de cent mille ans. Mais "les larmes d'Aral" se réfèrent à une période relativement plus récente : les conquêtes d'Alexandre le Grand, au IIIe *siècle avant Jésus-Christ. La région de la mer d'Aral était alors occupée par un peuple de nomades, les Saka. À l'arrivée d'Alexandre le Grand et de ses armées, les Saka furent contraints de quitter leurs terres et de fuir dans les montagnes. À cette époque, les pays de Sogdiane et de Bactriane constituaient une partie de l'Ouzbékistan. Lorsque la conquête s'acheva, Alexandre orienta sa politique vers la réconciliation avec les*

peuples qu'il avait conquis. Il épousa une très belle princesse bactrienne, Roxane, avec qui il eut un fils. Alexandre mourut de fièvre le 13 juin 323, à Babylone. Ses successeurs, qui prirent le titre de Diadoques, se livrèrent à une guerre sans merci pour l'obtention du trône. Cassandre, général puis roi de Macédoine, qui avait épousé la sœur d'Alexandre, assassina la mère de ce dernier. Il ne s'arrêta pas là. Roxane et son fils étant des obstacles qui entravaient son chemin vers le pouvoir, il les fit aussi assassiner. À la mort de Roxane, on dit que la mer pleura. L'expression "les larmes d'Aral" est née de là. La légende dit que le jour où la mer pleurera à nouveau, l'armée des Saka descendra des montagnes pour reconquérir ses terres... Quel sens faut-il donner aux paroles prononcées par ta jeune étudiante, lorsque tu l'as rencontrée, je l'ignore. Elle connaît probablement l'origine de cette légende des larmes d'Aral qui appartient à son pays. Ce qui est certain, c'est que, depuis que cette mer voit sa surface se réduire comme une peau de chagrin, elle aurait de bonnes raisons de verser de nouvelles larmes... Dieu merci, il semble que les hommes de bonne volonté ont enfin le désir d'agir. N'en êtes-vous pas la preuve ?... Je vous

souhaite bon vent à tous les deux. Blaise de Grands-Murs»

Lorri resta songeur. Était-ce un hasard si Roxane Novoï possédait le même prénom que la princesse bactrienne ?

— Alors ? demanda Keewat en passant devant le bureau.

Laurent le mit au courant de ce qu'il avait appris.

— Si tu veux mon avis, suggéra l'Indien, cette fille fait de sa mission un véritable combat. Cette légende lui sert à sublimer ce combat. C'est un avertissement. Si les hommes ne tentent pas tout ce qui est en leur pouvoir pour sauver la mer d'Aral, cette dernière se vengera.

— Prédiction d'une révolte de la Nature ?

— Pourquoi pas ? Elle aura toujours le dernier mot, la Nature, tu ne penses pas ?

Laurent partageait cet avis. Au cours des deux derniers siècles, l'homme s'était imposé à elle en maître tout-puissant. Aujourd'hui, il mesurait les conséquences de sa vantardise. S'il ne s'obligeait pas à changer, c'était sa propre condamnation qu'il signait.

3

Drôle de pays !

L'Iliouchin avait quitté Moscou depuis plusieurs heures. Dans un premier temps, Laurent et Keewat s'étaient envolés de l'aéroport Trudeau à destination de la France. À Paris, ils avaient changé d'avion afin de rejoindre la capitale russe. Ils étaient ensuite montés à bord d'un appareil de l'Ouzbékistan Airways qui devait les déposer à Tachkent. Ces multiples heures de vol étaient d'une monotonie lassante.

À travers le hublot, Lorri regardait avec détachement le défilement des terres. Sous le ventre de l'avion, tout était miniaturisé. Les lacs ressemblaient à de petites flaques miroitantes ; les rivières, à de minuscules filets d'eau.

Après le paysage verdoyant de l'Europe, il y avait eu les déserts ocre et brumeux du Caucase. En abordant l'Ouzbékistan, Lorri avait cru deviner, bien au-delà des ailes de l'appareil, la surface bleutée d'une étendue d'eau. La mer d'Aral ? Il ne pouvait en être sûr.

Une fois encore, il se demandait ce qui le poussait à sans cesse aller vers l'aventure. Il avait la passion des voyages, certes, mais cette raison n'était pas suffisante. Dès son plus jeune âge, il s'était intéressé à l'environnement, un environnement sans cesse meurtri par ses contemporains. Était-il, avec son compagnon d'aventures, plus sensé que les autres ? Ces meurtrissures ne pouvaient durer sous peine de mettre à mal, de manière irréversible, la planète sur laquelle ils vivaient. Il aurait pu faire comme beaucoup d'autres, choisir une vie rangée, occuper un job rémunérateur dans une boîte de biotechnologie qui ne voit dans la vie que matière à spéculer. Ceux qui choisissaient cette voie n'étaient pas à blâmer. Ils faisaient également partie intégrante du monde. Lui, ce monde, il avait envie de le palper de manière physique, presque charnelle. Il y a cinquante ans, pas plus, la découverte des contrées éloignées ne se faisait qu'à travers les récits d'une poignée d'explorateurs,

de voyageurs plus intrépides que les autres. Aujourd'hui, les médias regorgeaient de données en tous genres. Il n'y avait qu'à zapper. Cela ne lui suffisait pas. Il avait besoin de partir lui-même à la rencontre de sa Terre, de respirer l'humus de ses forêts, de s'asperger avec l'eau de ses mers, de sentir la brûlure de ses déserts. Maintenant que cette Terre était en danger, il partait en croisade pour la sauver. C'était ainsi qu'il s'était décrit dans l'interview du *Globe-Horizons*, de manière un peu pompeuse peut-être : lui et Keewat se voyaient comme des chevaliers des temps modernes ! Lisa Lapointe avait fidèlement retranscrit leurs sentiments dans le numéro paru le surlendemain. N'était-ce pas ce même article que lisait en ce moment, quelques sièges plus loin, une jeune passagère se parfumant au jasmin ?

Au loin, une chaîne de montagnes barrait l'horizon comme la lame d'une scie aux dents irrégulières. Un signal lumineux les convia à boucler leurs ceintures. L'Iliouchine se mit à descendre rapidement. Il y eut un crachouillis dans les haut-parleurs, puis une voix annonça que l'atterrissage était imminent.

— Ouzbékistan, nous voici ! lança Laurent avec jubilation. Le temps commençait à devenir drôlement long !

— Je suis aussi impatient que toi de me dégourdir les jambes, ajouta Keewat. L'aventure va enfin s'ouvrir à nous.

L'imposant appareil toucha le sol sans heurt. Dix minutes plus tard, il coupait ses moteurs sur le tarmac.

L'aéroport de Tachkent ne se différenciait pas beaucoup des autres aéroports qu'ils avaient déjà pu traverser au cours de leurs pérégrinations, sauf que les contrôles d'identité y étaient encore plus minutieux. Ils purent cependant franchir les différentes portes menant à la réception des bagages sans être vraiment retardés. L'aéroport fourmillait d'une foule bigarrée. Beaucoup de voyageurs étaient vêtus sobrement à l'occidentale, mais il y avait aussi de nombreux passants portant fièrement leurs habits traditionnels chatoyants : robes ornementées de dessins colorés ou coiffes brodées d'or et d'argent, désignées par les guides touristiques sous le nom de *tioubitieïka*.

Laurent se retourna brusquement. Cette odeur de jasmin semblait décidément le suivre à la trace. « Après tout, songea-t-il, rien n'interdit à ces dames, qui déambulent dans le hall, de se parfumer avec cette fleur. De l'eau de jasmin, il doit y en avoir partout. »

— Quel moustique t'a piqué ? s'inquiéta Keewat.

— Rien de grave... Un parfum qui me colle agréablement au nez.

— Il y avait le même dans l'avion, j'en suis sûr, dit l'Indien en reniflant le nez en l'air. Entre nous, qu'est-ce que ça peut bien faire ? Pas de quoi s'affoler, hein !

Leurs sacs à bout de bras, ils sortirent de l'aérogare et se mirent à la recherche d'un taxi capable de les emmener vers le centre-ville. Depuis Montréal, ils avaient réservé une chambre à l'hôtel Makhalla. Une antique voiture américaine aux amortisseurs usagés les cueillit dans la file d'attente avant de se perdre au cœur de la circulation.

Ils avaient échangé avec le chauffeur quelques paroles de politesse, dans un anglais plutôt laborieux, puis s'étaient collé le nez aux vitres. Curieux de tout, ils n'avaient pas assez de leurs yeux pour découvrir les nouveaux horizons qui s'ouvraient à eux.

La ville était d'importance. En parcourant les dix kilomètres qui la séparaient de l'aéroport, ils se rendirent immédiatement compte d'une chose : elle était la synthèse de deux mondes. Issu directement du passé, l'un d'eux reflétait un orientalisme affirmé, avec ses maisons à *moucharabiehs*[1] disséminées le long de ruelles étroites, ses mosquées et ses medersas[2] ; l'autre, issu de l'occupation soviétique, affichait ses austères bâtiments administratifs, ses larges avenues, ses artères à angle droit. Au milieu de cela se greffait l'influence de l'Occident et de son modernisme, telle cette tour des communications s'élevant vers le ciel à plus de trois cent soixante-quinze mètres de hauteur, qu'il était impossible de manquer.

L'hôtel Makhalla n'était plus de prime jeunesse, et sa façade, en béton noirci, n'avait rien de bien engageant. Au-delà de la porte tournante du hall, cette impression s'effaça pour laisser place à un agréable charme rétro. En consultant le Net pour leurs réservations, Laurent et Keewat avaient vu défiler des hôtels plus aguichants, mais les moyens dont ils disposaient avaient restreint leur choix.

— Je ne suis pas mécontent d'être arrivé, soupira Keewat. Ces cabines d'avions et

---

[1] Balcon muni d'un grillage qui permet de voir sans être vu.

[2] Écoles où l'on enseigne le Coran, la religion islamique.

d'autos vous transforment trop rapidement en sardines !

Lorri était également soulagé de pouvoir poser son sac. Même si la capitale ouzbek n'était pas le but ultime de leur voyage, il appréciait de se dégourdir enfin les jambes sur le bon vieux plancher des vaches. Malgré leurs vêtements légers, pantalons de gabardine, tee-shirts, chukkas, ils avaient souffert de la température étouffante à bord de l'Iliouchine, dont la climatisation était défaillante. Ils allaient pouvoir bientôt se doucher. Du moins, ils l'espéraient.

— Nous avons réservé une chambre à deux lits, demanda le Québécois en se présentant.

— La 328, répondit le réceptionniste dans un français presque parfait. Vous avez une vue sur le parc, de l'autre côté de la rue. Cela vous convient-il ? Bon séjour à Tachkent, messieurs.

Les deux amis se dirigèrent vers l'ascenseur sans prêter attention à l'individu entré peu après eux qui, distraitement, semblait parcourir une affiche des yeux.

La décoration de la chambre était à l'image de celle du rez-de-chaussée, un peu désuète, mais non dépourvue de charme. Laurent ne

tarda pas à filer sous la douche qui, à sa plus grande joie, fonctionnait à merveille. Il s'essuya vigoureusement, enfila des vêtements propres, puis gagna la fenêtre. La vue était belle. Elle donnait sur un parc aux arbres bien développés. Après le souper, il serait sans doute agréable de s'y promener.

Contrairement à beaucoup de touristes qui, par commodité, prennent les repas à l'hôtel où ils sont descendus, les deux amis choisirent de manger ailleurs. Histoire d'apprécier la couleur locale.

Ils trouvèrent un restaurant, à quelques pas d'un théâtre de marionnettes. Ils y dégustèrent des brochettes d'agneau au riz, assaisonnées de coriandre et d'oignons verts, le tout accompagné de thé noir, la boisson nationale. Lorsqu'ils quittèrent les lieux, il était encore tôt, mais ils commençaient à être drôlement fatigués.

— Que dirais-tu d'un petit tour dans le parc, en face de l'hôtel ? proposa Laurent qui, en dépit de sa fatigue, ressentait le besoin de marcher plus longuement pour dissiper les relents d'oignons verts qu'il avait avalés.

— Whaaaa ! Sans moi, répondit le Tchippewayan en étouffant un bâillement. Je suis crevé.

— Eh bien, à tantôt!... Ou à demain, alors!

Les allées du parc étaient désertes. Il faisait un peu frais, avec la tombée de la nuit, mais cette fraîcheur convenait tout à fait à Laurent. Après ces interminables heures d'avion... et ces oignons qui, décidément, avaient du mal à se faire oublier, elle était la bienvenue.

Il pensa aux jours qui allaient suivre. On ne les attendait pas immédiatement au Centre, ce qui leur laissait un peu de temps pour parcourir la vieille ville. Ils visiteraient un ou deux musées et, qui sait, feraient peut-être des rencontres enrichissantes. Ensuite, ils descendraient vers Samarkand, un des joyaux de l'Asie centrale, et se mettraient en route vers l'Aral. La commandante Remiroff les y accueillerait pour leur confier diverses tâches dont ils ignoraient encore la teneur.

Au-delà des ramures des arbres, Lorri entendait les bruits de la ville peuplée de deux millions d'habitants. Passé les faubourgs, c'était le règne des déserts... Les mystères de l'inconnu.

Il passa devant une rangée d'arbustes, puis s'arrêta. On marchait derrière lui, il en était certain. Il y avait bien un lampadaire un peu plus loin, mais à l'endroit où il se tenait, l'obscurité était profonde.

« Après tout, songea-t-il, il doit s'agir d'un simple promeneur qui, comme moi, a besoin de s'oxygéner. »

Il se remit à errer au gré de sa fantaisie. Des pas crissant sur le gravier se firent de nouveau entendre. Laurent se retourna brusquement, scruta les ténèbres sans y voir à plus de quelques mètres. Le mystérieux promeneur interrompait sa marche quand lui arrêtait la sienne. Quelque chose ne tournait pas rond.

Soudain, il reçut un coup violent sur l'épaule, puis fut bousculé sans ménagement. Ça ressemblait drôlement à une agression !

Laurent n'était pas de ceux qui se laissent facilement impressionner. Il fit volte-face, évita un deuxième coup par un retrait de la tête. Au jugé, car il n'y voyait pas grand-chose, il lança son poing solidement fermé vers l'avant. Il heurta l'angle d'un menton. L'ombre contre laquelle il luttait tomba au sol.

— Voilà qui t'apprendra, l'ami ! cria-t-il. Si tu en redemandes, je suis à...

Soudain, il eut l'impression de passer dans un laminoir. Une avalanche de coups s'abattit

sur lui. Devant une telle fougue, Lorri recula en flageolant. Il ne devait qu'à sa solide carrure d'être encore debout. Son nouvel agresseur était d'une adresse consommée. Mais ses attaques n'étaient pas aussi sévères qu'elles auraient pu l'être. En vérité, il recevait de nombreux coups mais peu appuyés.

Décidé à ne pas se laisser mettre K.-O. par défaut, Laurent balança une jambe en avant en un mouvement circulaire. En karaté, cette botte s'appellait un *mawashi-géri.* Il entendit un cri de douleur quand son pied s'enfonça dans une matière molle. Un remue-ménage s'ensuivit, puis un bruit de fuite.

Maintenant seul, il se demanda s'il n'avait pas rêvé. Les bleus, qu'il devait avoir sur tout le corps, infirmèrent cette hypothèse. Il était même un peu « groggy ». Hormis ces contusions, il ne restait plus de la mystérieuse agression qu'il venait de subir qu'une fragrance qui flottait dans l'air du soir : un parfum de jasmin.

— Moi qui cherche l'aventure, je suis servi, mais c'est le genre d'aventure dont on se passerait volontiers. Faire des milliers de kilomètres, des heures d'avion, pour se faire stupidement tabasser… Pas à dire, on aime le jasmin dans le pays !

Il se massa énergiquement les membres, puis décida de regagner l'hôtel. Assez d'émotions pour aujourd'hui. C'est ce qu'il croyait, car en pénétrant dans sa chambre, il surprit un curieux spectacle. Keewat se débattait comme un beau diable, empêtré dans les tentures de la fenêtre.

— Fiente d'ours ! jura l'Indien en réussissant enfin à s'extraire du fouillis de tissu contre lequel il se débattait.

— Peux-tu me dire à quoi tu joues ? demanda son compagnon, l'air goguenard.

— Il m'a filé entre les doigts ! Quelqu'un s'était introduit dans notre chambre. Il a fui par la fenêtre... J'étais descendu au bar m'offrir une menthe blanche glacée....

— Sans inviter les copains, hein ?

— Je croyais que tu avais envie de marcher dans le parc ?

— Oh ! J'y suis allé, crois-moi. Et on m'est tombé dessus en me dérouillant comme un punching-ball !

— Ça alors ! Tu parles d'un pays.

— On descend à la Direction ? Ton mystérieux visiteur ne t'a rien dérobé ?

— Pas eu le temps de vérifier.

Rapidement, le Tchippewayan fit le tour de ses effets personnels. Vêtements, trousse

de toilette, argent, papiers, tout y était sauf... son passeport.

— On est dans la m... ! fit Laurent en se laissant choir sur son lit. Te voilà bien avancé, maintenant. On ne doit jamais se séparer de son portefeuille lorsqu'on voyage, tu ne sais pas ça ?

— M'enfin ! Pour si peu de temps...

Lorri se leva brusquement. Il fouilla la poche intérieure de sa veste et en sortit son propre portefeuille. Le but de ses agresseurs n'avait-il pas été de lui dérober son passeport, à lui aussi ? Ces deux incidents seraient donc liés ?

— À bien réfléchir, reprit l'Indien, je ne vais pas porter plainte. Cela impliquerait d'aller rendre visite aux flics. Sont déjà pas sympas au Canada, alors ici... Et ils m'obligeraient à rester coincé à l'hôtel.

— Et tu comptes te déplacer comment sans passeport ?

— Ouais, ça risque de ne pas être commode.

— Dès que nous aurons rejoint mon père, nous le mettrons au courant. Ses relations devraient pouvoir résoudre ce problème.

4

Tempête de sable

Une grande partie de Tachkent avait été détruite lors du tremblement de terre de 1966. Des vieux quartiers, il ne restait plus grand-chose. Lors de la reconstruction, les Soviétiques en avaient volontairement modifié la configuration originelle par la création d'avenues rectilignes bordées de bâtiments anguleux. Cet aspect dénaturé de la cité ouzbek n'attirait pas vraiment les deux compagnons. Ils décidèrent malgré tout de s'y rendre, car deux musées méritaient d'être visités : celui des beaux-arts et celui de l'histoire des peuples de l'Ouzbékistan.

Le passé de ce pays était marqué par la célèbre « route de la soie ». De nombreux marchands de toutes sortes, venant de Chine

à destination de l'Asie occidentale, l'avaient fréquenté durant des siècles. Leurs caravanes de chameaux et de dromadaires débordaient de soieries et de draps, mais aussi d'or, de porcelaines, de bijoux et d'épices. Cette route, longue de centaines de kilomètres à travers déserts et vallées, fut également empruntée par de célèbres conquérants et explorateurs : Alexandre le Grand, Timur Lang, Marco Polo… Durant des siècles, elle avait favorisé les échanges commerciaux entre l'Europe, le Moyen-Orient, la Chine et l'Inde. On lui devait la renommée des principales villes d'Ouzbékistan… mais aussi leur malheur : Gengis Khan, le fondateur sanguinaire de l'empire mongol, en pilla et en rasa plus d'une entièrement.

C'était cela qui marquait Laurent lorsqu'il visitait les musées du vieux continent. L'histoire du Québec ne pouvait être comparée à ce qu'il découvrait ici. Elle était forcément moins étoffée, car elle ne débutait officiellement qu'avec Jacques Cartier, en 1534. Avant, il y avait celle des Autochtones. Il n'en restait malheureusement que bien peu de témoignages.

Lorsqu'ils quittèrent les musées, ils gagnèrent le centre-ville par une succession

d'artères colorées. Tachkent était une cité-oasis cosmopolite, riche de nombreux espaces verts. Les fontaines y étaient abondantes en dépit de la proximité du désert cernant les terres arables.

Ils traversèrent un de ces fameux bazars où on vendait et troquait de tout. Une rue, baptisée Eski Shakhar, les amena à la madrasa de Barak-Khan ornée de mosaïques somptueuses et de calligraphies arabes. En fin de journée, ils avaient à leur actif un bon nombre de photos qu'ils rangeraient, plus tard, dans leurs carnets de voyage.

Le lendemain, ils quittèrent l'hôtel de bonne heure et prirent le train pour Samarkand.

Elle était montée dans le même wagon en s'arrangeant pour ne pas être vue. Ces jeunes types avaient assisté à la conférence de Roxane Novoï. Le blond avait vu son visage lorsqu'elle avait quitté son siège, dans l'amphithéâtre, circonstance suffisante pour qu'elle ne coure pas le risque d'être reconnue. D'après l'article du journal qu'elle avait lu dans l'avion, ils venaient en Ouzbékistan grossir l'équipe du CERÉMA. Elle n'aimait pas du tout ce projet.

Nastasya Wasp regarda sa montre. Dans une heure, le train aborderait les montagnes. Des pseudo-gardes frontières mobiles l'arrêteraient pour simuler un contrôle d'identité. Sans passeport, l'Amérindien n'avait aucune chance de continuer le voyage, ce qui obligerait son compagnon, elle en était certaine, à descendre également. Elle n'aurait qu'un petit signe à faire à ses hommes, lorsqu'ils grimperaient à l'intérieur du wagon, pour leur désigner les victimes. L'organisation DARD n'aimait pas que l'on s'oppose à ses plans.

Les terres cultivées de la vallée s'étaient éclipsées au profit d'un sol plus aride et rocailleux. La ligne, empruntée par le train, traversait une langue du Kyzylkoum, le désert rouge, et partait à l'assaut d'un groupe de collines assez élevées. Plus loin se découpait la silhouette grisée des montagnes du Tadjikistan.

Poussif, c'était le mot qui qualifiait le mieux le convoi. La motrice avait du mal à tirer ses wagons. Par moments, elle donnait l'impression d'en avoir plus qu'assez. Lorri s'attendait à ce qu'elle pousse un dernier soupir avant de s'immobiliser. Mais, après quelques secousses, la mécanique repartait envers et contre tout, jusqu'à la quinte suivante. Le train n'était pas le moyen de transport le plus rapide du pays, mais il avait l'avantage d'être le moins cher.

Les agressions qu'ils avaient subies, l'avant-veille, n'étaient plus qu'un mauvais souvenir. Keewat n'avait plus son passeport, mais l'invitation du CERÉMA qu'il possédait, remplie en bonne et due forme, pouvait faire office de laissez-passer.

Les deux compagnons ne s'expliquaient pas vraiment le motif de ces attaques. Quel pouvait bien être le but des malfaiteurs ? Appartenaient-ils à une bande organisée dont l'un des objectifs était de voler des papiers d'identité pour l'émigration clandestine ? On en parlait beaucoup ces temps-ci au Canada et en Europe. Finalement, ils avaient renoncé à se torturer inutilement les méninges.

Le convoi se mit à freiner avec des crissements plaintifs, puis il s'immobilisa.

— Que se passe-t-il ? demanda Keewat en fixant son compagnon.

— Je l'ignore, mon vieux. J'espère qu'il ne s'agit pas d'une panne mécanique.

Les supputations allaient bon train quand la porte du wagon s'ouvrit. Deux hommes enturbannés, vêtus à l'orientale, armés de carabines, firent irruption. À leur allure de limiers flairant une piste, il était évident qu'ils cherchaient quelque chose... ou quelqu'un. Le plus imposant d'entre eux, le visage mangé par une barbe broussailleuse, jeta un coup d'œil vers le fond de la voiture avant de fixer les deux compagnons.

— Passeports ! jeta-t-il d'une voix peu amène avec l'accent du pays.

Lorri et Keewat se dévisagèrent. Inutile de leur faire un dessin, les ennuis commençaient. Laurent extirpa ses papiers d'identité de la pochette-banane où il les rangeait. Le garde frontière y jeta un bref regard, puis réclama ceux de l'Amérindien. Ce dernier déplia l'invitation du CERÉMA et expliqua :.

— Passeport volé... À Tachkent. Comme vous le voyez, je suis attendu au Centre. Vous en avez entendu parler, n'est-ce pas ? Vous pouvez les contacter, on vous confirmera ce que je vous avance.

— Passeport ! répéta l'Oriental.

— Je vous dis que je ne l'ai plus. Je n'y suis pour rien.

— Il dit la vérité, intervint Lorri. On le lui a dérobé à l'hôtel.

— Vous, descendre ! ordonna l'homme en pressant Keewat du bout de son arme.

— Hé ! Ça part tout seul ces trucs-là. D'accord, je viens... Heureux de t'avoir connu, Laurent. Moi, je descends ici.

— Tu as raison, ironisa à son tour le jeune Québécois. Après tout, ce train était une vraie tortue.

Cueillant leurs maigres bagages, les deux compagnons descendirent du wagon. Un troisième garde, resté à l'extérieur, au niveau de la locomotive, fit un signe au conducteur, puis le train se remit en branle.

— Qu'est-ce que ça veut dire ? protesta Lorri. En voilà une façon d'accueillir des jeunes gars venus épauler votre pays !.

— J'y pense, fit tout à coup Keewat, nous avons un téléphone portable, non ? Alors, un coup de fil au Centre et ses messieurs verront qu'ils n'ont rien à redouter de nos personnes.

L'idée était sans doute bonne, mais elle ne put être exécutée. Les gardes frontières s'emparèrent des sacs des deux amis sans que ces derniers, sous la menace des armes, ne puissent s'y opposer. On les poussa violemment dans la benne arrière d'un pick-up dissimulé à proximité, puis on leur banda les yeux et on leur lia les mains. Le véhicule démarra aussitôt en direction du désert.

Combien de temps dura le trajet ? Ils étaient incapables de répondre. Avec leurs sacs, on leur avait également subtilisé leurs montres, et quand bien même ils les auraient conservées, leurs yeux bandés et leurs mains immobilisées ne leur auraient pas permis de les consulter. Tout ce qu'ils retiendraient de cette virée, c'est qu'ils avaient été durement secoués.

Le pick-up finit par stopper. Ils furent expulsés hors de la benne et eurent toutes les peines du monde à rester debout. Avant même qu'ils aient pu se libérer, le véhicule s'était remis en marche et avait disparu dans de grands jets de poussière.

— Reu ! Reu…, toussa Laurent en arrachant son bandeau avec mauvaise humeur.

Par chance, les liens enserrant leurs poignets n'avaient pas été solidement fixés. En se tortillant un peu, ils en étaient vite venus à bout.

— Tu parles d'un voyage ! se plaignit Keewat en s'époussetant.

Ils se trouvaient à l'intérieur d'un défilé sur les parois duquel résonnait encore l'écho du moteur du quatre-quatre. Ce bruit finit par s'estomper.

— Qui étaient-ils ? Tu as une idée ? interrogea le Tchippewayan. Des moudjahidin ? Des talibans ?

— De drôles de gardes frontières, en tout cas. Nous voilà dépouillés de tout, au milieu de nulle part... Je ne serais pas foutu de dire dans quelle direction ils sont partis !

— Tout ça n'a pas de sens. D'accord, je n'ai plus de passeport. D'habitude, les clandestins, on les emmène au poste, non ? On ne les abandonne pas en plein désert.

— Si tu veux mon avis, ces types étaient des voleurs. Ce que je ne m'explique pas, c'est la raison pour laquelle le train s'est arrêté.

— À la vitesse supersonique où il allait, ce n'était pas bien difficile de s'agripper à la motrice et d'obliger le conducteur à stopper.

— L'attaque du train, en quelque sorte... Enfin, Keewat, nous ne sommes pas au Far-West !

— Inutile de continuer à nous poser des questions auxquelles nous ne pouvons pas

répondre. Il va falloir se mettre à marcher, car nous ne pouvons pas moisir ici.

— Moisir ? Tu parles ! Nous dessécher, oui ! Avec cette chaleur… Sans eau.

Laurent fixa le ciel. Le soleil y brillait haut, chauffant l'environnement à blanc et rendant la vision douloureuse.

— Si je me fie à la position du soleil, le sud-ouest se trouve par là, non ? C'est donc dans cette direction que nous devons aller si nous voulons nous rapprocher de Samarkand.

— Le plus simple serait de retrouver la voie ferrée. Il n'y aura qu'à la suivre et à grimper à bord du prochain train.

Lorri reconnut le bien-fondé de cette proposition.

— Pas bête. Comme de nous deux tu es sans conteste le meilleur pisteur, je te suis.

Commença alors une marche aussi pénible que harassante. Laurent était de mauvaise humeur. Même s'il reconnaissait qu'il aurait pu commettre la même négligence, il pestait contre son ami de s'être laissé bêtement dérober son passeport. Chacun de leurs pas soulevait un kilogramme de poussière, une poussière qui, sous ces pas, leur desséchait davantage la bouche et les lèvres. Le défilé

prit fin. Il leur fut alors impossible de se soustraire aux rayons implacables de l'astre diurne. Ils marchèrent en silence durant plusieurs heures avant de se laisser glisser contre un rocher érodé, les pieds en compote.

— Tu faiblis, mec ! Il n'y a pas si longtemps, tu nous aurais déniché cette voie ferrée en moins de deux, ironisa Lorri en ôtant ses chaussures et en soupirant d'aise.

— Ce pays n'a rien à voir avec les Territoires du Nord-Ouest... Et si tu n'es pas content, hein...

— Mince ! j'ai drôlement soif. Je boirais un litre de soda glacé !

— Tu n'as qu'à siffler le serveur !... Tiens, le vent se lève.

Ils se remirent en route. Un souffle brûlant les obligea à se protéger rapidement le visage. Il charriait avec lui des vagues de sable arraché aux collines avoisinantes, ridées et brunies comme la peau de vieilles oranges racornies. L'espace autour d'eux devint opaque. Au-delà de cinq mètres, ils n'y voyaient plus rien.

— Manquait plus que cela ! hurla Laurent pour couvrir les mugissements des tourbillons.

— Qu'est-ce que tu dis ? cria à son tour Keewat. Je ne comprends rien !

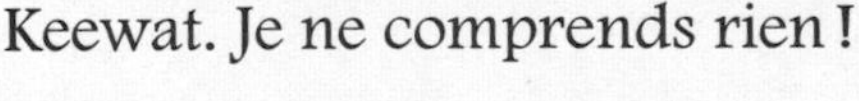

Laurent eut un geste de la main qui voulait dire « laisse tomber ». S'ils avaient pu prévoir ce déchaînement du vent, ils seraient restés à l'abri du rocher.

La tempête de sable dura de longues heures[1]. Laurent constata avec effroi que ce vent, chargé de tonnes de poussière, véhiculait également des paquets de sel. Ce sel lui rongeait les lèvres et la peau. Il n'en pouvait plus et il mourait de soif. Il se laissa tomber sur le sol et tenta d'avertir son compagnon. Sa gorge en feu ne laissa fuser qu'un râle inaudible. Où était Keewat ? Il ne le voyait plus.

Lorri se couvrit la tête de ses bras repliés. Il resta ainsi une demi-heure, une heure peut-être, jusqu'à ce qu'il bascule sur le côté, au bord de l'évanouissement. Une éternité s'écoula. Il lui semblait entendre des voix, quelque part, autour de lui. Réalité où délire ? Il perdit conscience.

---

[1] 150 000 tonnes de sable gorgé de sels divers et de résidus de pesticides sont véhiculées chaque année par le vent. Ce sable se dépose sur les terres jusqu'à plusieurs centaines de kilomètres à la ronde, les rendant stériles.

5

Samarkand

Un liquide bienfaisant humectait sa bouche. Il imagina une terre craquelée et fissurée, cuite et recuite, sur laquelle tombait une averse d'orage. Dès les premières gouttes de pluie, le sol redevint malléable, laissant apparaître des milliers de jeunes pousses auréolées de fleurs. Cette terre brûlée, c'était sa langue.

Laurent ouvrit les yeux. Il se trouvait étendu sur un épais tapis posé à même le sol. À quelques mètres, Keewat, allongé de la même manière, donnait également des signes de vie. Un vieil homme, à la longue barbe grise, coiffé d'un feutre, était penché sur lui.

Laurent saisit en tremblant le bol posé à sa portée et avala une large goulée d'eau. Elle avait un goût bizarre, mais il se sentit tout de suite mieux.

— Où sommes-nous ? demanda-t-il.

Le vieil homme lui adressa un sourire. Il ne comprenait sans doute pas le français. Il disparut derrière une tenture de soie.

— Ohé, Keewat ! Tu m'entends ?

— Rassure-toi, vieux... vieux frère. Je ne suis pas encore... mort. Mais je sais maintenant ce que c'est la... soif. L'eau... Par le Grand-Esprit, que c'est bon !

— Qu'est-ce qui nous est arrivé ? Je me souviens de cette terrible tempête... J'ai crié mais tu ne m'as pas entendu. Après, c'est le trou noir.

— Nous nous sommes évanouis. Nous étions exténués, la gorge desséchée. Ce vieil homme nous a probablement trouvés. Nous lui devons peut-être... la vie.

La tenture de soie s'écarta et le vieillard réapparut, une écuelle dans chaque main. Il les leur tendit avec une expression de joie sur le visage, et prononça quelques phrases.

Les deux rescapés ne comprirent pas grand-chose ; néanmoins, ils tenaient à le remercier. Ils firent appel à leurs quelques notions de russe appris dans les guides, entrecoupées d'anglais et de français. Leur sauveur s'appelait Douchi. Ils se ruèrent ensuite sur la nourriture, un ragoût de haricots. Ils mou-

raient littéralement de faim. Lorsque leurs écuelles furent vides, histoire de faire plus ample connaissance, ils expliquèrent au vieil homme le but de leur voyage en Ouzbékistan. Douchi n'y comprit sans doute rien, mais aux mots « mer d'Aral » et « CERÉMA », une lueur d'intérêt brilla dans son regard. Le sort de la mer qui se mourait ne lui semblait pas indifférent.

La chambre était constituée de murs en briques recouverts de torchis. Pour tout mobilier, elle ne possédait qu'une commode faite de planches, sur laquelle reposait un cadre. La photo qu'il contenait, celle d'une fillette, rappela quelqu'un à Laurent, sans qu'il sache d'où lui venait cette impression. Le reste était composé de tapis et de voilages. La lumière du jour pénétrait par une fenêtre étroite munie de jalousies. Son repas terminé, Keewat s'en approcha.

— La tempête s'est apaisée, dit-il en revenant sur ses pas. À voir la luminosité régnant à l'extérieur, nous devons être le matin.

— Le matin ?! Nous aurions donc été inconscients toute une nuit ?

— Inconscients ou endormis. Dans l'état où nous étions, comment savoir. Tout cela est la faute de ces bandits ! Si je les retrouve....

— Je ne tiens pas à les retrouver. C'est le genre de rencontre qu'il vaut mieux éviter en voyage. N'oublie pas que nous sommes dans un pays à la politique incertaine... Dans l'immédiat, on ferait mieux de continuer notre route. Je ne voudrais d'ailleurs pas abuser de l'hospitalité de ce vieil homme. Te sens-tu d'attaque ?

— Pour rejoindre Samarkand ? Tu dérailles ? Si ça se trouve, nous en sommes à des centaines de kilomètres. Nous ne pouvons pas risquer de nous perdre une seconde fois.

— Allons voir notre sauveur et expliquons-lui notre problème. On verra bien.

La maison comportait deux pièces : une salle à manger, faisant également office de cuisine, et la chambre qu'ils venaient de quitter. Toutes deux présentaient le même dépouillement. Le reste du ragoût continuait à mijoter sur un poêle de tôle. Dans un coin trônait un appareil de télévision datant, à coup sûr, de plusieurs décennies, et un téléphone si vétuste que Lorri se dit qu'il ne fonctionnait certainement plus.

Le vieillard était assis à l'extérieur. La maison, proche de l'abandon, faisait partie d'un village composé de plusieurs habita-

tions toutes aussi délabrées. Les ruelles au sol rouge, où poussaient quelques arbres rabougris et où vaquaient quatre ou cinq moutons, étaient envahies par le sable venu du désert sous les sautes de vent. L'endroit était désolé, mais pour Keewat et Lorri, il avait été signe de salut.

— Apparemment, constata le Tchippewayan, les gros investisseurs étrangers ne s'intéressent pas à ce trou perdu. Il doit être plus rentable de bâtir des hôtels de luxe pour touristes fortunés que d'améliorer l'habitat de ces pauvres villageois…

— Nous voudrions nous rendre à Samarkand, expliqua Laurent. Pouvez-vous nous dire dans quelle direction se situe la ville et à quelle distance se trouve-t-elle d'ici ?

Ce ne fut pas aisé de se faire comprendre de leur bienfaiteur, jusqu'à ce que celui-ci ait l'idée de dessiner sur le sol. Samarkand était à plus de cent kilomètres au sud.

— Je te le répète, Lorri, dit Keewat, il est impossible de tenter l'aventure en étant démunis de tout. Le Kyzylkoum, où nous sommes, n'est pas tout à fait un désert, mais il est dangereux. Notre expérience d'hier nous oblige à nous montrer plus prudents.

En voyant le dilemme qui agitait les deux compagnons, Douchi leur fit signe de le suivre. Il ouvrit précautionneusement la porte démantibulée d'une remise. La lumière du jour révéla un gros side-car parmi d'autres vieilleries.

— Il roule encore ? demanda Keewat en tendant les bras comme s'il manipulait un guidon.

Douchi inclina la tête et haussa les épaules.

— Peut-être bien que oui, peut-être bien que non. C'est ce qu'il veut dire, traduisit Lorri. Commençons par sortir cette antiquité de la remise, nous évaluerons plus facilement son état ensuite.

C'était une moto de marque Ural, alimentée par un bicylindre de six cent cinquante centimètres cubes, avec une roue de secours fixée à l'arrière. Un engin qui n'était plus dans sa prime jeunesse, c'était le moins qu'on puisse dire. Ils en firent rapidement le tour. Tous deux pratiquaient la moto et s'y connaissaient un peu en mécanique.

— Bon, conclut Lorri. Peut-être qu'avec un peu de graisse, quelques litres d'air dans les pneus, un dépoussiérage du carburateur, un peu d'essence et du muscle, on en tirera quelques paroles… On s'y met ?

La moto pétaradait comme un jour de fête, sauf que, bien entendu, il n'y avait pas de fête. Douchi était pourtant joyeux. Il encourageait l'Ural par des claquements de mains. Sans doute lui appartenait-elle. Trop vieux pour la chevaucher, il l'avait abandonnée à son sort. Le vieil homme disparut dans la remise, y fit un remue-ménage d'enfer, et revint chargé de deux casques militaires munis de lunettes en verre.

— Le kit complet ! s'écria Lorri en riant. Douchi, vous êtes un dépanneur du tonnerre. Avec ce bidon d'essence de réserve et cette outre d'eau que vous nous donnez, nous sommes parés.

— J'ai lu que l'hospitalité ouzbek était réputée, c'est plus que la vérité, ajouta le Tchippewayan… Ah ! ce casque est un peu étroit. Il appartenait sans doute à madame Douchi. Nous nous en contenterons. Je prends les commandes pour commencer. Lorri, si tu veux prendre place, ton carrosse est avancé !

Les trois hommes rirent de bon cœur. Laurent et Keewat, parce que leur voyage se révélait plein d'imprévus ; Douchi, parce qu'il était heureux de rendre service, tout simplement.

— Nous ne savons pas comment vous remercier, Douchi, dit Lorri en redevenant sérieux. Nous ne vous oublierons pas. Adieu...

L'Ural laissa derrière elle les ruines du village et son unique habitant. Les deux compagnons foncèrent vers le sud dans un nuage de poussière.

Ils roulèrent ainsi près de deux heures à travers le reg, ne s'accordant qu'un seul arrêt pour refaire le plein d'essence à l'aide du jerrycan. Leur plus grande crainte était que l'Ural, en fin d'existence, ne les laisse en carafe. Mais le vénérable engin tenait bon. Ils rejoignirent enfin une piste grossière sur laquelle ils croisèrent une autre moto filant à toute allure. Dans son side, ils aperçurent un mouton.

— Chez nous, on a des motoneiges, hurla Keewat pour couvrir la pétarade du moteur. Ici, ils ont des side-cars !.

— Tu as raison, approuva Lorri à qui c'était le tour de piloter. J'ai lu quelque part, je ne sais plus où, que dans les steppes d'Asie centrale, les éleveurs utilisent de plus en plus ce genre de moyen de locomotion, même si le cheval y est encore élevé en grand nombre. En voici la preuve. Douchi employait sans doute sa moto à des fins identiques.

— Cet homme est d'une grande générosité. Il ne possède rien mais donne tout... Vraiment très chic, ce vieux ! Je regrette de ne pas avoir passé plus de temps en sa compagnie. Il doit en avoir des choses à raconter...

— Notre temps est compté. Nous devons encore visiter Samarkand avant de rejoindre le Centre, sur la mer d'Aral. Si jamais, un jour, nos pas nous ramenaient dans le coin, nous tenterions de le retrouver.

Le trajet dura encore un quart d'heure. Ils finirent par pénétrer dans la banlieue de la ville. Il ne leur restait que quelques soums[1] qu'ils avaient conservés en poche et qui avaient miraculeusement échappé à leurs voleurs. À peine de quoi remettre un peu d'essence dans l'Ural et s'acheter deux ou trois saucisses pour le dîner, guère plus. Ils n'avaient même plus le numéro de téléphone du CERÉMA, ni celui de la mission, à Noukous, où travaillait Olivier Saint-Pierre. Ils allaient devoir se débrouiller seuls.

D'après les guides touristiques, Samarkand était un joyau qu'il fallait absolument visiter.

---

[1] Monnaie de l'Ouzbékistan.

Laurent savait beaucoup de choses sur cette merveille de l'Orient. Comme d'autres villes d'Ouzbékistan, elle n'avait pas échappé à la rage destructrice de Gengis Khan. Heureusement, des esprits éclairés, guerriers, poètes ou hommes de sciences, s'étaient employés à lui rendre son éclat. Le plus grand d'entre eux fut sans doute Timur Lang qui, au XIVe siècle, captura par milliers architectes, artistes et artisans, en leur ordonnant de parer sa cité des plus beaux atours. Ainsi naquirent de véritables chefs-d'œuvre : palais, mosquées, mausolées, bazars, coupoles, minarets, madrasas... Les tremblements de terre en avaient altéré certains, mais leur restauration avait été efficace. La place du Reghistan, bordée de la madrasa d'Ouloug-Bek du XVe siècle, avec l'observatoire astronomique, valait à elle seule le détour.

Ils firent le plein à une station-service et commandèrent trois chipolatas à une *sossiskas*[2] ambulante. Maintenant, ils n'avaient plus un sou. Un tout-terrain de marque allemande passa lentement à leur hauteur. Le visage de ses occupants était dissimulé par

---

[2] Étal de saucisses grillées.

les vitres teintées. Néanmoins, Keewat devina qu'on les avait longuement observés.

— Notre allure est-elle si bizarre que l'on nous regarde ainsi ? Sommes-nous si différents de ces gens qui vont et viennent dans ce bled ?

Encadrée de constructions aux murs ocre, aux boiseries de la couleur du ciel, bleu pastel, la rue était assez encombrée. De nombreux deux-roues à moteur zigzaguaient entre de vieux camions russes chargés de bardas hétéroclites. Sur le trottoir d'en face, un vieil Ouzbek négociait avec acharnement le prix de sa nouvelle coiffe sous les yeux méfiants d'une vendeuse aux dents aurifiées. Tous les vingt mètres, sur des terrasses de bois chargées de plats de fruits et de riz pilaf garni de graines de grenade, des hommes discutaient et riaient assis en tailleur. Ces plats donnaient l'eau à la bouche.

Pour penser à autre chose qu'à leurs estomacs insatisfaits, les deux compagnons s'accoudèrent à une fenêtre ouverte, d'où montaient les notes d'un piano. Ils assistèrent aux répétions d'une école de danse.

— Ça alors ! s'exclama Lorri en montrant du doigt une jeune femme en discussion avec

le professeur de danse. C'est la fille de l'amphi ! Tu sais, celle qui se parfumait au jasmin.

— Le monde est petit… Ou alors, tu te trompes.

— Non, non. Je suis formel. C'est elle !

— Qu'est-ce qu'elle fiche ? continua le Tchippewayan en désignant la liasse de billets de banque qu'elle tendait à son interlocuteur. En voilà un trafic !

— Elle pourrait peut-être nous dépanner. Suis-moi.

La forte somme d'argent qu'elle venait de remettre à l'école ne fit pas sourciller Nastasya Wasp. Elle avait l'habitude. L'argent, quelle que soit sa couleur, restait le meilleur moyen d'obtenir des faveurs et d'entretenir un réseau d'informateurs dévoués, bien utiles à l'organisation. L'Ouzbékistan manquait de moyens. L'organisation DARD, dont elle était la jeune dirigeante depuis la mort de son père, les lui fournissait… quand elle le voulait. Si elle n'avait pas eu la lourde charge de succéder à son paternel, elle aurait aimé être danseuse d'opéra. Alicher faisait ce qu'il pouvait avec sa troupe. Un jour, on parlerait de lui dans la presse culturelle, elle en était certaine. Nastasya ne s'étonna pas non plus de voir s'avancer vers elle les deux Canadiens. Elle les

avait reconnus devant la *sossiskas*. Ces deux-là avaient de la suite dans les idées. Leur mésaventure, dans le désert, ne les avait pas découragés. Que venaient-ils faire ici ?

— Mademoiselle, s'il vous plaît ? Vous étiez à Montréal, il n'y a pas longtemps, n'est-ce pas ?... La conférence de Roxane Novoï...

Nastasya hésita. Son premier réflexe avait été de nier, mais elle se ravisa. Ces deux prétentieux pouvaient l'amuser. Le blond était même un tantinet coriace. Il savait se battre et encaisser.

— C'est exact. À qui ai-je l'honneur ?

Ils se présentèrent. En quelques mots, ils l'informèrent de la raison de leur présence dans le pays.

— Malheureusement, poursuivit Lorri, on nous a dévalisés au cours du trajet qui nous menait à Samarkand. Il ne nous reste plus rien, à part ce vieux side-car, là, dehors. Si vous nous consentiez un prêt de quelques centaines de soums, de quoi rejoindre la mer d'Aral, nous vous rembourserions, n'ayez crainte. Mais ne vous sentez pas obligée. Après tout, cette demande doit vous paraître plutôt effrontée.

— Pas du tout, répondit la jeune femme avec un mince sourire et en croisant les bras.

Je vous propose de m'accompagner. Avez-vous déjeuné ?

— Pour tout dire, juste une saucisse grillée.

— Une toute petite saucisse de rien du tout, renchérit Keewat.

— Alors, suivez-moi. Je m'appelle Nastasya Wasp.

Tandis qu'ils lui emboîtaient le pas, le Tchippewayan murmura :

— Cette fille a l'allure d'une jument sauvage.

— Une jument... Tu veux dire une guêpe. *Wasp*, en anglais, ça veut dire « guêpe », non ?

6

L'organisation DARD

Les deux jeunes aventuriers furent invités à prendre place à bord d'un luxueux quatre-quatre qu'ils identifièrent immédiatement. C'était celui qu'ils avaient aperçu devant la *sossiskas.* Ils ne s'étonnaient donc plus que ce même véhicule soit passé lentement à leur niveau. De l'intérieur, Nastasya Wasp les avait sûrement reconnus, bien qu'elle n'en ait rien laissé paraître au cours de leur conversation. Une montagne humaine tenait le volant, un type dépassant à coup sûr les cent cinquante kilos.

Le véhicule traversa le centre de la ville avant d'emprunter plusieurs rues peu fréquentées. Il s'arrêta finalement devant une

façade de style arabe, où le mot *Pirojki*[1] était inscrit en lettres calligraphiées sur les vitres.

L'intérieur du restaurant révéla un luxe que la devanture ne laissait pas présager. Les murs disparaissaient derrière de somptueux tapis de soie. Un clapotis d'eau résonnait au creux d'une fontaine agrémentée de plantes vertes.

Nastasya Wasp se dirigea vers une table dressée dans un coin de la pièce. Le personnel attendit patiemment qu'elle se soit installée avant d'enregistrer avec déférence sa commande. La montagne humaine s'éloigna en direction du bar.

Lorri avait deviné qu'il s'agissait d'un garde du corps. Qui était Nastasya Wasp ? Pas une *nobody*, à voir comment on la traitait. Tout ce qu'il apercevait sentait le fric. Un fric avec une drôle d'odeur. Keewat avait la même impression.

— J'espère que nous ne vous dérangeons pas, dit-il en désignant le décor. Nos tenues quelque peu… défraîchies ne cadrent pas avec ce luxe. Excusez-nous.

— Vous êtes mes invités, non ? Détendez-vous. Pietr, le cuisinier, en plus des beignets,

---

[1] Petit beignet.

réussit particulièrement la *lagman*[2]. Je vous la conseille. En apéritif, nous prendrons du *Kelim-bar-mak*, un vin du pays. Vous savez ce que veut dire *Kelim-bar-mak?*... « Les doigts de ma fiancée. » Poétique, non ?

Entrée en matière comme une autre. Ils discutèrent de choses anodines, celles qui, en principe, distraient les gens de leur âge. Au dessert, ils abordèrent des thèmes plus sérieux comme les programmes du CERÉMA et le développement économique du pays. Sur ce dernier sujet, la jeune femme en connaissait un sacré rayon. Lorri devina un intérêt sous-jacent dans chacun de ses propos. À la question : « Êtes-vous dans les affaires ? », elle avait répondu : « En quelque sorte », de manière assez évasive, ou plutôt avec une certaine ironie. À la fin du repas, il pensa que le nom de leur hôtesse lui allait décidément comme un gant. Nastasya Wasp se révélait de plus en plus comme une guêpe dont il devait être dangereux de taquiner l'aiguillon.

— Un dernier verre de vin ? demanda-t-elle en interpellant le serveur.

La bouteille avait dû être trafiquée. Son contenu avait un goût bizarre, même indigeste.

---

[2] Soupe aux légumes et pâtes fraîches.

Laurent voyait double. Il n'y avait plus une Nastasya en face de lui, mais deux, aussi jolies et dangereuses l'une que l'autre. Keewat se dressa brusquement avant de s'effondrer sur le sol.

— Le vin… mauvais g…, balbutia Lorri avant de plonger à son tour, la tête en avant.

Malgré son petit mètre soixante-cinq et ses cinquante-sept kilos, Nastasya Wasp imposait le respect. Pas un des membres de l'organisation assis autour d'elle, dans la salle du conseil, n'aurait osé émettre une opinion contraire à ses propos si elle ne l'avait pas autorisé. Cette quinzaine d'hommes et de femmes, nettement plus âgés qu'elle, occupaient des responsabilités importantes. Chacun avait le contrôle d'un secteur géographique précis. Pour l'un, l'Europe de l'ouest ; pour un autre, l'Amérique du Nord ; pour un troisième, le Moyen-Orient. Et ainsi de suite. La planète entière faisait l'objet d'un découpage dont le but était de faciliter l'infiltration de l'organisation dans les rouages des États, afin de les parasiter et d'en tirer le maximum de profits. Cette gestion tentacu-

laire se révélait particulièrement payante. Les fonds dont disposait l'organisation étaient considérables. Une OMB, en quelque sorte : organisation mondiale du banditisme. Nastasya en était le chef suprême.

Elle aimait particulièrement l'Asie centrale. Cette région constituait un véritable carrefour des mondes. Russie, Chine, Asie du Sud-Est, Afrique, Europe, tous avaient des vecteurs d'échanges y transitant d'une manière ou d'une autre. Il lui suffisait de jouer le rôle d'agent de la circulation. Tout était bon à prendre, il n'y avait pas de petits profits : armes, stupéfiants, trafic d'hommes, de femmes ou d'enfants, contrebande de tabac, matières fissiles, trafic d'organes, trafic d'influences ou de biens sociaux, spéculations boursières, piratages informatiques... L'organisation vendait ses services aux plus offrants. Elle se méfiait, cependant, des intégristes, quels qu'ils soient. Ces gens-là étaient incontrôlables. Elle avait également une autre raison, d'un ordre plus sentimental, de préférer l'Asie centrale. Elle y avait vécu avec son père. Avant de disparaître, assassiné, il lui avait tout appris. L'empire qu'il lui léguait était immense. Quant à sa mère, elle ne l'avait pas connue.

Le conseil prit fin. Cette fois-ci, il avait eu lieu dans leur repère secret du Kyzylkoum. Depuis que l'Ouzbékistan et le Kazakhstan faisaient l'objet des convoitises de grandes multinationales, certaines perspectives intéressantes se profilaient à l'horizon. L'existence d'une base dissimulée dans le désert rouge se justifiait amplement.

Nastasya Wasp marcha vers son fidèle garde du corps qui ne la quittait pour ainsi dire jamais.

— Okto, va voir si les deux Canadiens sont réveillés et amène-les dans mon bureau.

Elle rejoignit ses quartiers. Le repère avait été taillé directement dans le roc. Il remontait à l'occupation soviétique. Lors du déclin de l'URSS, un peu avant que l'Ouzbékistan n'obtienne son indépendance, il avait été abandonné. L'organisation se l'était approprié en l'aménageant selon ses besoins. Il était plus que probable que ses précédents occupants en avaient oublié l'existence.

L'entrée de la base était dissimulée dans un cirque rocheux, au pied d'un plateau. L'intérieur possédait plusieurs casemates, un entrepôt, un laboratoire et un quartier d'habitations, le tout protégé par plusieurs mètres de béton.

Le bureau de Nastasya Wasp tranchait sur le reste. Autant les couloirs d'accès et les différentes aires de manœuvre affichaient un décor spartiate, autant ce lieu bénéficiait d'une décoration raffinée. Il fallait sans doute ajouter, à la liste des spécialités du chef suprême de l'organisation DARD, celle du recel d'œuvres d'art. Laurent et Keewat, encore étourdis, y furent introduits sans ménagement par Okto. Le *sumotori* alla se placer dans un coin et ne bougea plus.

Les deux compagnons n'avaient échangé que peu de paroles depuis qu'ils avaient repris conscience. Ils commençaient à avoir les nerfs en pelote. Depuis leur arrivée dans ce fichu pays, tout allait mal. Ils vivaient mésaventure sur mésaventure. À moins que ce ne soit là la vraie définition de l'aventure. Dans ce cas, ils étaient servis.

Une tenture s'écarta et Nastasya Wasp apparut. Elle était vêtue d'un pantalon fuseau noir et d'un chemisier de soie or moulant, sur lequel tombait l'imposante tresse de sa chevelure. L'odeur de jasmin, qui imbibait la pièce, se renforça aussitôt. Laurent Saint-Pierre était certain d'une chose : cette fille était jolie. Pour le reste, il lui suffisait de patienter, les explications n'allaient sans doute pas tarder.

— Si j'avais su que vous ne supportiez pas le vin, je ne vous en aurais pas proposé, ironisa-t-elle, un sourire au coin des lèvres.

— Et elle se moque de nous, protesta Keewat.

— Ouais ! Arrête ce petit jeu, reprit Lorri en tutoyant son hôtesse par bravade. Chez nous, on appelle ça un « enlèvement ». Avant de nous quitter, tu vas éclairer notre lanterne. Ensuite, on verra s'il est utile de porter plainte.

— Écoutez-moi ces deux prétentieux, répondit-elle en éclatant de rire. Pour commencer, vous n'avez aucune idée de l'endroit où nous nous trouvons.

C'était exact. Avant d'être amenés dans ce bureau, tout ce qu'ils avaient pu voir, c'était de longs couloirs blanchis à la chaux, ornés çà et là d'un sigle bizarre, et des groupes d'hommes armés, plus ou moins importants, qui les patrouillaient.

— Quelque part à Samarkand, risqua Laurent. À l'intérieur d'une caserne. Tu appartiens probablement à la sécurité du pays. Tu nous as pris pour des… fauteurs de troubles en transit, et tu nous as arrêtés. Je te rassure, Keewat et moi ne sommes impliqués dans aucun groupuscule extrémiste. Tout ce que nous t'avons dit est vrai. D'ailleurs, nous nous

sommes vus la première fois à la conférence de Roxane Novoï. Le sort de la mer d'Aral te préoccupe aussi, si je ne me trompe.

— C'est vrai ! Je m'intéresse à la mer d'Aral, mais par pour les mêmes raisons que vous, mes petits amis.

— Amis ? coupa Keewat, nous aurions pu le devenir, mais après le plat que tu nous as servi...

— Ces raisons, quelles sont-elles ?

— Si vous me dites que l'assèchement de l'Aral, d'un point de vue écologique, est une catastrophe, je ne peux le nier. Mais je m'en fiche. La mer d'Aral se vide, et alors ? Cela fait des années que ça dure et je n'en suis pas responsable.

— Que faisais-tu à la conférence, dans ce cas ? demanda le Tchippewayan.

— Que pensez-vous de Roxane Novoï? Vous vous dites qu'elle a du mérite, que son combat est noble... Ce que vous ignorez, c'est que l'association dont elle est le fer de lance, commet des actes de sabotage à l'intérieur de l'Ouzbékistan... Des attentats, des explosions...

Laurent avait du mal à avaler ça. Il n'avait parlé que quelques instants avec la jeune

Ouzbek, mais il ne pouvait l'imaginer sous les traits d'une terroriste.

— Vous ne me croyez pas, hein ? poursuivit Nastasya. De grandes nations s'intéressent à ce pays. Les Américains y sont de plus en plus présents. Les Russes ne veulent pas lâcher le morceau. La France, par l'intermédiaire de grosses entreprises du bâtiment, y construit des hôtels de luxe… Je suis persuadée que votre propre pays doit renifler par ici également.

— Que vient faire Roxane Novoï là-dedans ? s'insurgea Keewat.

— La Karakalpakie, la région qui cerne la mer d'Aral, recèle de gros gisements de gaz. Cela attire les investisseurs. Je défends leurs intérêts. Roxane Novoï et son association, « Les larmes d'Aral », s'y oppose. (« Je ne mens pas, pensa le chef du DARD, même s'il s'agit plutôt de mes intérêts personnels. ») Ce pays, comme les autres républiques qui l'entourent, a besoin de ces investissements. C'est ce qu'on appelle le développement économique.

— Sur la route qui nous amenés à Samarkand, argumenta Lorri, nous avons fait connaissance avec un vieil homme. C'est grâce à lui si notre rencontre avec les pilleurs s'est

finalement bien terminée. Cet homme vit dans un village en ruines. Ces investissements, dont tu parles, vont-ils l'aider, lui ? Mon père est en mission, près de Noukous. Il est médecin. Des femmes et des enfants meurent dans cette région, à cause de la terre et de l'eau polluées à mort. Ces investissements vont-ils également les aider ?

— Ce n'est pas mon problème. Je ne fais pas de charité. On me paie pour un travail et je le fais.

— En quoi consiste exactement ce job ? demanda Keewat. Nous serions heureux de le savoir.

— Je suis chargée de veiller à la sécurité de ces investisseurs, ici et ailleurs. Les activités de Roxane Novoï doivent être surveillées de près. C'est pour cette raison que j'étais à Montréal. Des informateurs m'avaient signalé qu'elle était à la recherche d'explosifs et qu'elle s'intéressait au lac Sarez, dans les montagnes du Tadjikistan. J'ignore pourquoi. Depuis, j'ai perdu sa trace.

— Tu es agent secret ?

— En quelque sorte, oui, approuva-t-elle en riant.

— Mais nous, pourquoi nous avoir drogués et enlevés ? Car c'est bien de cela qu'il s'agit, n'est-ce pas ? Le CERÉMA s'oppose-t-il, lui aussi, aux intérêts de tes… investisseurs ?

— La mer d'Aral est morte. Il est trop tard pour la sauver. Son sous-sol va faire l'objet d'une exploitation intensive de la part des compagnies gazières.

« Nous y voilà, songea Laurent. Des intérêts économiques s'opposent une fois de plus à l'écologie. »

— Il me semble pourtant, dit le Tchippewayan, que le CERÉMA travaille en collaboration étroite avec le gouvernement ouzbek. Ce dernier ne peut prétendre travailler au sauvetage de la mer d'Aral si, dans le même temps, il défend des compagnies aux intérêts diamétralement opposés… Comment tu expliques ça ? Tu es employée par le gouvernement, non ?

— Qui vous a laissé croire que j'étais à ses ordres ? Je ne vous ai jamais dit cela.

— Pour qui travailles-tu, alors ? s'inquiéta Lorri.

— Assez discuté. Pour tout vous dire, je n'aime pas les écologistes lorsqu'ils s'opposent à mes plans.

Les deux compagnons se dévisagèrent. Dans quel… guêpier s'étaient-ils encore fourrés ?

— Que vas-tu faire de nous ?

Elle fixa le jeune Québécois.

— À Tachkent, nous avons commencé un échange intéressant. Je te propose de le poursuivre ici, à l'intérieur de ces murs. Si tu sors vainqueur de cet échange, je te relâcherai, avec ton ami, quelque part dans le désert. Sinon…

Ça venait de faire tilt dans la tête de Laurent. Il comprenait pourquoi ce parfum de jasmin l'avait suivi tout le long de son périple, depuis Montréal. La Guêpe les avait pistés. Volontairement ou par hasard, il n'en savait rien. Ce petit échange, dont il venait d'être question, faisait référence à la bagarre qui les avait opposés dans le parc, en face de l'hôtel. Il posa les yeux sur le corps de Nastasya Wasp. Elle ne devait guère peser bien lourd. Mais il se rappela soudain les bleus qu'elle lui avait infligés partout. L'image d'un aiguillon lui traversa l'esprit. Celui qu'elle possédait devait être bien aiguisé.

7

Creusez vos tombes !

Pour la troisième fois, Keewat secoua Lorri avec d'infinies précautions. Il présentait des hématomes et des boursouflures sur tout le corps. Cette tigresse l'avait littéralement laminé. Il n'y avait qu'une seule explication : Laurent n'avait pas voulu utiliser toute sa vigueur dans le combat et il s'était laissé surprendre. « Ça lui apprendra. Il aurait dû deviner que si Nastasya Wasp le défiait, c'est qu'elle savait ce qu'elle faisait. Je suis prêt à parier qu'elle est championne de karaté ou quelque chose du genre, songea-t-il. C'est réussi ! L'orgueil de Lorri va en prendre un coup. Se faire tabasser par une fille... »

Les deux amis se trouvaient de nouveau enfermés dans le cagibi où on les avait laissés

mariner la première fois, après qu'on les eut drogués. La pièce, de quatre mètres carrés, ne présentait aucune ouverture, à part la porte par laquelle on entrait. L'éclairage provenait d'une ampoule grillagée.

— Aïe ! Ouille ! gémit Laurent en remuant. Bon sang ! Ce qu'elle m'a mis !

— Rien de cassé ?

— Je ne crois pas... Comment tu dis, déjà... Fiente de castor ! La honte...

— Ne t'en veux pas, mon chum. Si j'avais été à ta place, il est probable que j'aurais aussi pris une dérouillée... Elle doit pratiquer son art depuis qu'elle est toute petite.

— Tu me promets de ne pas raconter ça aux copains, à Montréal, hein ?

— Promis... Que va-t-elle faire de nous ?

— Ça, je l'ignore. Tu imagines, si elle nous gardait pour s'entraîner... Bon sang ! Quelle garce ! Donner des coups rien que pour le plaisir.

— Un homme averti en vaut deux. Je suis certain qu'elle ne s'en tirerait plus aussi facilement, pas vrai ?

— Ouais ! Je lui filerais une grosse patate tout de suite, pour la calmer... Ça ne devrait pas exister des femelles pareilles !

— J'ai du mal à avaler son histoire au sujet de Roxane Novoï. Des explosifs... le lac Sarez... D'abord, où se trouve-t-il, ce lac? Et quel rapport avec la mer d'Aral?

— Quelque chose m'échappe, moi aussi.

— Si elle ne travaille pas pour le gouvernement, pour qui alors?

— Une boîte privée chargée de défendre les intérêts des grosses compagnies. Ça existe également chez nous. Si je comprends bien, ces gens-là veulent que s'assèche la mer complètement afin d'avoir le terrain libre pour les forages... Gaz, pétrole... Toujours la même rengaine. Je me demande s'ils sont au courant de tout ça, au CERÉMA.

La porte du cagibi s'ouvrit brutalement. Quatre individus armés, ressemblant étrangement à leurs pilleurs de train, firent leur apparition. Deux d'entre eux leur lièrent les mains dans le dos, puis leur appliquèrent un bandeau sur les yeux. Les événements avaient une fâcheuse tendance à se répéter.

Poussés comme des malpropres, Keewat et Lorri parcoururent plusieurs couloirs avant de se retrouver à l'air libre. Ils n'entendaient pas les bruits de la ville. Étaient-ils encore à Samarkand? Impossible de répondre. À un moment donné, à l'intérieur, ils avaient reniflé une drôle d'odeur, semblable à celle régnant dans les laboratoires. Laurent la connaissait pour l'avoir sentie maintes fois lorsqu'il était à l'université, dans les salles de travaux pratiques. C'était un mélange de désinfectant, d'éther et d'autres solvants. Une fois encore, on les obligea à grimper à l'arrière d'un pick-up. Le véhicule démarra en trombe.

Maintenant, tous les deux en étaient certains, ils n'étaient plus en ville ni même dans sa banlieue. À part le ronflement du moteur, ils n'entendaient aucun bruit. On les emmenait de nouveau dans le désert. Cette seconde randonnée dura aussi longtemps que la première, puis le pick-up stoppa brutalement. On les fit descendre sans ménagement. On ôta leurs bandeaux et leurs liens avant de leur jeter deux pelles pour creuser.

Après une courte hésitation, Keewat et Lorri avaient saisi les outils. Sous la menace des armes que tenaient les quatre gardes, ils se mirent à l'ouvrage. Une sourde angoisse leur paralysa la gorge. Ils avaient compris. Nastasya Wasp avait chargé ses hommes de les exécuter.

Cette scène-là, l'un comme l'autre, ils l'avaient vue à la télévision, lorsque les chaînes passaient de vieux westerns. Jamais ils n'auraient pu imaginer qu'ils la vivraient un jour. Et il ne s'agissait pas de cinéma. Pelletée après pelletée, Laurent tentait d'imaginer un plan de fuite. Aucun n'était voué au succès. L'issue était toujours la même, finir sous une rafale de kalachnikov. La peur au ventre, il voyait arriver le moment où, les fosses étant suffisamment profondes, l'ordre leur serait donné d'arrêter de creuser. Cet ordre vint, assaisonné de quelques quolibets à leur endroit.

Le cœur cognant à tout rompre, une sueur froide au creux des reins, les deux compagnons s'immobilisèrent et se regardèrent. Leur vie s'arrêterait donc ici, à peine entamée ? Ils n'eurent pas le temps de penser. Des coups de feu claquèrent.

Lorri s'était souvent demandé, au cours de réflexions métaphysiques, quel effet ça faisait de mourir. Il s'attendait à ressentir la douleur des balles lui perforer les entrailles. Mais il y avait quoi, ensuite ? Un trou blanc ou un trou noir ?

Il entendit des bruits sourds, puis d'autres, plus métalliques, ceux des kalachnikovs tombant à terre. L'une d'entre elles vint atterrir à ses pieds, au milieu de la fosse. Il n'était donc pas mort ! Lorsqu'il releva la tête, il aperçut immédiatement les corps affalés de leurs tortionnaires. Sous eux, le sable assoiffé s'auréolait de rouge.

— Nous sommes vivants ! hurla Keewat pour libérer l'épouvantable tension qui le faisait trembler de tous ses membres.

— Sortez vite de là, cria en français une voix féminine. Le temps presse. Djeït, Achkad, récupérez les vêtements, les armes, et balancez les corps dans les fosses. Recouvrez-les de sable.

— Roxane Novoï ! s'exclama Lorri en s'essuyant rapidement les yeux et en affermissant sa voix.

L'ex-étudiante ne portait plus son costume folklorique, mais une tenue plutôt stricte : *rangers*, tee-shirt et pantalon kaki.

— Je vous l'avais dit que nous nous reverrions un jour. Nous ne sommes pas sur l'Amou-Daria, mais je suis persuadée que vous êtes heureux de me retrouver sur votre route plus tôt que prévu, non ?

— C'est… c'est vous qui venez de…

— Moi et eux, répondit-elle en désignant les deux hommes qui finissaient d'enterrer

les cadavres des gardes. Comme je vous l'ai déjà dit, on doit se dépêcher. Suivez-moi.

Roxane Novoï les entraîna quelques centaines de mètres plus loin, où était garée une fourgonnette. Elle les pressa de grimper à bord.

— Djeït et Achkad ne vont plus tarder, annonça-t-elle en s'installant au volant. On dirait que tu as été passé à tabac ?

— Si l'on peut dire, répondit évasivement Lorri. En tout cas, nous vous devons une fière chandelle. Sans votre intervention, nous y passions tous les deux. On n'aurait jamais su ce qui nous était arrivé... J'étais loin d'imaginer qu'il était aussi dangereux de voyager dans ce pays.

— Moins que dans certains autres, aux frontières voisines, croyez-moi. Vous avez eu le malheur de vous trouver en travers du chemin de l'organisation DARD. Voilà l'explication de tous vos problèmes.

— DARD ? intervint Keewat. Jamais entendu parler.

— Nastasya Wasp. Ça vous dit quelque chose, je suppose...

— Et comment ! s'exclama Lorri. Cette nana-là, si je la retrouve...

— Oubliez-la, c'est un conseil d'amie. Vous n'avez aucune idée de ce qu'elle représente. Elle est le chef suprême de l'une des plus grandes organisations du crime… Le DARD.

— À son âge ? s'étonna le Tchippewayan.

— Son père a été assassiné, il y a quelques années. Sans doute par les services spéciaux d'un pays quelconque où l'organisation était active. En réalité, le DARD est présent partout sur la planète. Son unique fille, Nastasya, a hérité de l'empire.

— Mais, vous, Roxane, qui êtes-vous exactement ? Nastasya Wasp nous a laissé entendre que votre association, « Les larmes d'Aral », flirtait avec le terrorisme. C'est vrai ?

— La chienne ! Elle ne manque pas de culot… Vous avez assisté à ma conférence, n'est-ce pas ? Je ne vous ai pas menti. Notre association se bat pour la sauvegarde de la mer d'Aral.

— Et les explosifs ? À quoi vous servent-ils ?

— Quels explosifs ?

— Elle nous a avertis que vous cherchiez à vous en procurer, que vous vous intéressiez également au lac Sarez.

Roxane Novoï émit un juron dans sa langue et cracha par la vitre. Elle reprit :

— Nastasya Wasp a cherché à me discréditer. Ses paroles sont fausses… Voilà Djeït et Achkad. En route.

Elle démarra en trombe.

À travers le désert, la mystérieuse jeune femme mena la fourgonnette à un train d'enfer sur des dizaines de kilomètres. La chaleur était accablante, dépassant les quarante degrés Celsius. Comme unique décor, des dunes sablonneuses et des collines de pierraille qui se succédaient sans fin, et cette piste qui, semblait-il, ne menait nulle part. À l'intérieur du véhicule, les paroles s'étaient faites rares, à tel point que Laurent jugea utile de demander :

— Où nous emmenez-vous ?

— Je suppose que vous n'avez plus un sou, n'est-ce pas ? Je vais vous déposer à Boukhara avec un peu d'argent. De là, vous pourrez rejoindre le CERÉMA par vos propres moyens.

— Il y a une chose que je ne me m'explique pas, dit Keewat. Comment avez-vous

été avertie du sort qui nous guettait ? Comment nous avez-vous retrouvés ?

— Et pourquoi nous avoir sauvés ? ajouta Lorri.

— Pourquoi ? Je vous trouve sympas, tous les deux. De plus, vous vous impliquez dans de nobles causes. Le DARD nous fait obstacle. Dès que nous le pouvons, nous lui rendons la pareille... Il se trouve que Douchi Aïdarkha est mon vieil oncle. Il vit dans les ruines d'un kolkhoze. J'ai pris de ses nouvelles en rentrant d'Amérique du Nord. Il m'a raconté qu'il avait recueilli deux jeunes étrangers surpris par une tempête de sable. Il m'a cité leurs noms et m'a mise au courant du but de leur voyage. J'ai compris qu'il s'agissait de vous. Lorsqu'il m'a raconté vos mésaventures, j'en ai déduit que Nastasya Wasp n'était pas loin. Je l'avais reconnue à la conférence. J'étais donc moi-même en danger. Je me suis arrangée pour lui faire perdre ma trace. Elle a sans doute appris que vous vous apprêtiez à rejoindre le CERÉMA. Le fait de m'avoir parlé, dans l'amphithéâtre, lui a peut-être fait croire que nous nous connaissions. D'où vos ennuis. Certaines sources nous avaient révélés que le DARD possédait un repère secret dans le Kyzylkoum. Nous n'en con-

naissions pas l'entrée avec précision, mais nous savions à peu près où il se situait. Nous nous sommes rendus discrètement sur place. La suite, vous la connaissez. Nous avons aperçu un pick-up roulant dans le désert avec deux hommes dans la benne arrière, les yeux bandés. Nous l'avons suivi à bonne distance et nous sommes intervenus pour vous libérer.

— Mais comment saviez-vous que nous étions retombés entre les mains de Nastasya Wasp ?

— Nous avons un ami commun. Un professeur de danse, à Samarkand. C'est un de nos contacts. Il nous a informés que la Guêpe avait emmené deux jeunes types en voiture. Leur description correspondait à la vôtre.

— En voilà de drôles de coïncidences… Ce professeur de danse, vous êtes sûre de lui ?

— Pourquoi me posez-vous cette question ?

— Nous avons vu Nastasya Wasp lui remettre une grosse somme d'argent liquide.

— Alicher se débrouille comme il peut pour faire vivre l'école dont il a la charge. Nastasya Wasp aurait aimé être danseuse, ce n'est un secret pour personne. Son destin en a décidé autrement. Ça ne l'empêche pas de faire parfois des dons utiles.

— Pour le reste, est-ce qu'il y a un moyen de mettre hors d'état de nuire ce démon incarné ?

— Le DARD est infiltré partout. Nastasya possède de nombreux appuis. De plus, les compagnies pour lesquelles elle travaille en ce moment sont extrêmement puissantes. Ses hommes de mains ne reculent devant aucun crime, vous en savez quelque chose. Sans en être certain, on dit qu'elle possède des contacts avec les intégristes islamistes et qu'elle n'hésite pas à les approvisionner en armes s'ils en ont besoin.

— Rien que ça ! laissa tomber Laurent. Toute une mission !

Le voyage se poursuivit jusqu'à l'entrée de Boukhara où, comme promis, Roxane Novoï fit descendre ses deux passagers.

8

En bordure de la mer d'Aral

Olivier Saint-Pierre ne tenait pas une comptabilité précise des missions dans lesquelles il s'investissait. Péchant par excès d'optimisme, il avait longtemps pensé que cet engagement, comme celui de ses confrères, deviendrait un jour inutile ; que le manque de moyens et la misère, récurrents dans de nombreuses parties du monde, finiraient par s'estomper. Aujourd'hui, il n'y croyait plus. Du moins, les choses ne s'arrangeraient pas de son vivant. La civilisation moderne avait raté le coche, à un moment donné de son histoire. De cela, il en était certain. Pas question pour autant de baisser les bras. Le serment qu'il avait prêté, au début de sa carrière, le lui interdisait. Le combat devait continuer…

Pour ceux qui pleurent, pour ceux qui souffrent.

Après le Guatemala, la Colombie, la Sierra Leone, le Niger, l'Afghanistan, et quelques autres contrées oubliées du monde, il avait rejoint cette mission, ici, à Noukous. L'Ouzbékistan affichait un manque important en soins médicaux, même les plus élémentaires. L'alimentation de la population, dans certaines zones, présentait de profondes carences. Et il y avait la pollution. Des enfants naissaient malformés et mouraient parce que l'eau potable manquait partout.

Le pays entier subissait les conséquences de cinquante années d'une politique complètement irrationnelle.

L'économie n'était pas sa spécialité. Il admettait que l'effondrement d'un système comme le communisme, dominant durant des décennies, ne pouvait pas se faire sans casse. Et cette casse, il en voyait les effets. Des gens étaient déçus. Avec la disparition du carcan soviétique, on leur avait promis une amélioration des choses. Si, aujourd'hui, ils jouissaient d'une plus grande liberté, ils étaient aussi livrés à eux-mêmes... Et ne possédaient rien. Certains regrettaient le passé. Espoirs déçus. Horizons perdus... Parallèle-

ment à cela, la nouvelle économie, le capitalisme à l'occidentale, créait des richesses. Jamais, peut-être, ces pauvres gens n'en bénéficieraient. Non, Olivier n'était pas un économiste, mais il constatait une fois encore que le bien commun et le minimum vital pour tous n'étaient pas non plus ici la priorité.

Lorsqu'il avait rejoint la mission, on lui avait assigné la zone de Moujnak. Le centre de soins, une construction de murs en terre cuite et de tôles rouillées, se situait à la périphérie de l'ancien port de pêche. Ancien, parce qu'il n'y avait plus de poissons à pêcher. Ancien, parce qu'il n'y avait plus de mer…

La première chose qu'il avait faite, en arrivant, avait été de se rendre sur la corniche qui, autrefois, dominait la mer d'Aral, à la sortie de la ville. Il avait vu. Du sable, gorgé de sels, aussi loin que pouvaient porter ses yeux ; des carcasses rongées de bateaux et celles, blanchies, de bovins morts empoisonnés ; par-dessus tout cela, un air surchauffé, desséchant la peau. Cette vision d'apocalypse l'avait ébranlé.

Il s'était ensuite plongé dans le travail avec l'appui de quelques assistants de l'équipe locale. Les malades avaient afflué : des cas de diarrhées, typhoïdes, néphrites, arthrites,

hépatites, mais aussi des cancers de la gorge, nombreux, inexplicables. Quant aux accouchements, ils se passaient rarement bien. La mortalité infantile atteignait des records.

Il soignait les gens. À quelques dizaines de kilomètres de là, le CERÉMA soignait la mer. En voyant l'ampleur de la tâche à accomplir, il avait songé à son fils. Laurent répétait sans cesse qu'il voulait participer à la sauvegarde de la Nature. Il trouverait ici une belle occasion de le faire.

Olivier Saint-Pierre termina sa visite quotidienne par le lit du fond. Mounia, la mère, et Naïa, sa petite fille âgée de quatre ans, l'occupaient depuis plusieurs jours. Toutes deux souffraient d'un dysfonctionnement du foie qui leur donnait un teint cireux. Cela n'empêchait pas Naïa d'être une ravissante petite Karakalpake. Abdoulaziz, son papa, travaillait pour le Centre. Il était employé dans une ferme expérimentale où on tentait la mise en terre de nouvelles cultures.

Le médecin encouragea Mounia et Naïa d'un geste amical, puis marcha vers son bureau. Il lui restait à dresser la liste des médicaments qui, d'ici peu de temps, viendraient à manquer. Le ravitaillement se faisait par les airs depuis quelques semaines, grâce

à l'utilisation conjointe d'un Cessna Caravan avec le CERÉMA. L'avion permettait de rejoindre Tachkent rapidement, là où transitait l'aide internationale.

Ce travail accompli, il s'empara de son téléphone portable. Lorri n'y avait encore laissé aucun message alors qu'il aurait dû être à Moujnak depuis vingt-quatre heures au moins.

Une légère contrariété apparut sur les traits du praticien. Cette absence était un peu bizarre, mais connaissant Lorri et Keewat, il ne voulait pas trop dramatiser. Il avait à peine rangé le minuscule appareil que la sonnerie se déclencha.

— Je venais de penser à toi, dit-il à son fils, lorsqu'il eut reconnu la voix de ce dernier. Alors ? On a eu du bon temps en chemin ?

La discussion dura quelques minutes. Les deux garçons étaient à Boukhara. Apparemment, ils avaient eu des tas d'ennuis.

— Écoute, Lorri, au lieu de faire du stop, j'ai une meilleure solution à te proposer. Demain, l'avion chargé du ravitaillement s'envole vers la capitale. Je serai à bord. Sur le chemin du retour, nous nous poserons à Boukhara. Vous embarquerez tous les deux

et nous serons ici en un temps record. Compris ? À demain !

Olivier Saint-Pierre raccrocha. Rassuré, son visage se détendit. Cela faisait plusieurs mois qu'ils ne s'étaient pas vus, lui et son fils. Les jours à venir s'annonçaient moins gris.

Il ne fallait guère plus de deux heures de vol pour joindre la capitale. L'avion représentait un avantage appréciable. Sur place, Olivier Saint-Pierre s'était approvisionné en médicaments de première nécessité. Ensuite, le Cessna était reparti, avant de faire une escale sur l'aéroport de Boukhara pour y cueillir les deux jeunes aventuriers. Ils étaient au rendez-vous.

— Tu as maigri, p'pa, dit Lorri en faisant la grimace sous les bourrades affectueuses de son père.

— Je me rattraperai en rentrant à la maison, ne t'en fais pas pour cela. Salut, le Tchippewayan ! En pleine forme ?... Dis moi, Lorri, tu as raté une marche ou quoi ? Tu es plein de bleus !

— Oh ! une rencontre qui a mal tourné... C'est du passé.

— Alors? Comment trouvez-vous le pays?

— Heu, ben, fit Keewat, hésitant. Y a pas mal de choses à voir. C'est, comment dire…

— … assez sec, comme environnement, hein? Attendez de voir l'Aral… Mais dépêchons-nous, Sam doit s'impatienter.

Au cours du vol qui les ramenait au Centre, ils prirent le temps de se mettre à jour, côté nouvelles familiales. Les deux garçons racontèrent ensuite, en long et en large, leur périple depuis Montréal. À l'évocation des mésaventures successives que son fils avait vécues avec son compagnon, Olivier Saint-Pierre fronça les sourcils. Il était au courant que de grosses compagnies industrielles grenouillaient dans la région, mais il n'avait jamais entendu parler de l'organisation DARD.

— Voilà l'Aral, dit-il soudain en tendant le bras.

Par-delà le cockpit, le paysage apparaissait diaphane à cause des brumes et des vents chargés de poussière. Une étendue grisâtre, éloignée de plusieurs dizaines de kilomètres, commençait pourtant à se profiler à l'horizon. Des détails apparurent.

— La bourgade où se trouve le dispensaire, c'est Moujnak, expliqua Olivier Saint-Pierre.

Jadis, elle était au bord de l'eau. Aujourd'hui, la mer est à plus de trente kilomètres. Depuis 1987, il existe deux mers séparées par un cordon sablonneux : la Bolshoï Aral au sud et la Malgi Aral au nord. La Grande et la Petite mer... Au nord, la ville d'Aralsk est désormais à cent kilomètres du nouveau rivage. Selon les nouvelles estimations, les trois quarts de la mer primitive ont disparu... Ces constructions, là-bas, sont celles du CERÉMA et, plus loin vers l'ouest, celles de la KARAGAZ and Co. Attachez vos ceintures, nous atterrissons.

L'avion accomplit une large boucle avant de se poser. Des nuages de poussière fusèrent des roues au moment où elles touchèrent le sol sur une piste visiblement improvisée.

— Je vous laisse le temps de vous présenter au responsable du Centre ? proposa le praticien.

— Il nous faudrait des vêtements propres, expliqua Lorri. Ceux que nous portons ont drôlement besoin d'être rafraîchis.

— Il n'y a pas que nos vêtements qui ont besoin d'un bain, intervint Keewat en reniflant. Nous également.

— Ici, les gars, l'eau est comptée. Dès que vous aurez rencontré Remiroff, je vous

emmène à Moujnak. Je dois avoir quelques vêtements en réserve à vous prêter.

Olivier Saint-Pierre suivit du regard les silhouettes des deux compagnons. Il était fier d'eux. Le monde avait grand besoin de garçons de cette trempe, n'hésitant pas à s'engager quand il le fallait.

La commandante Remiroff était russe, de l'Institut de génétique moléculaire de Moscou. C'était une femme d'âge mûr, aux cheveux coupés court et au regard ferme. Elle connaissait son affaire, et sa capacité à diriger le Centre ne faisait aucun doute. Elle accueillit cordialement les retardataires et enregistra rapidement leur inscription dans l'équipe d'assistance. Cette formalité remplie, elle les mena à leurs quartiers. Lorri l'informa de leur désir de passer leur première nuit à Moujnak, au dispensaire. Rendez-vous fut pris pour le lendemain à huit heures. Ils retrouvèrent Olivier Saint-Pierre au volant d'un tout terrain orné du sigle de Médecins du Monde.

— Lena Remiroff est une personne compétente, expliqua le praticien en démarrant. Elle a connu le pouvoir soviétique. Aujourd'hui, elle tente de rattraper les erreurs passées. Elle est entourée d'une fameuse équipe

d'experts. Si on lui en fournit les moyens, elle accomplira du bon boulot. La région en a terriblement besoin. Il s'agit de donner à la mer d'Aral sa dernière chance, et croyez-moi, avec les intérêts en jeu, ce n'est pas du gâteau.

— Et de ton côté, tu as les moyens de travailler convenablement ? demanda Lorri.

— Je fais ce que je peux. Ça pourrait être pire. La population du coin présente des symptômes évidents d'empoisonnement. La pollution des sols et de la nappe phréatique est telle qu'il ne peut en être autrement.

— Au Mexique, ajouta Keewat, les Huicholes se pourrissent la santé en récoltant le tabac des grandes firmes américaines. Ces pauvres diables manipulent de dangereux pesticides sans la moindre mesure de protection... *Tata, llay, edzil'!* Les maux, les maladies, la mort !

— Eh oui ! Nous ne pouvons plus ignorer ces situations, approuva Olivier Saint-Pierre. Elles doivent être dénoncées.

Le trajet dura une bonne demi-heure avant que n'apparaissent les premières maisons de Moujnak. La poussière projetée par les pneus épais du véhicule tout terrain s'ajoutait au sable que le vent soulevait par paquets.

— Nous y sommes, dit Olivier en coupant le moteur. Ce maudit vent ! Les gens d'ici l'appellent « les larmes sèches d'Aral ».

9

La révélation d'une menace

Lorri dormit d'un sommeil réparateur. Les émotions des jours derniers étaient oubliées. Enfin, pas tout à fait, car de sa rencontre avec Nastasya Wasp, il lui restait encore plusieurs auréoles verdâtres sur le visage. Ces traces lui laissaient un petit arrière-goût amer. Il avait du mal à réfréner son envie de prendre une revanche sur la jeune femme. Comme l'avait prédit Keewat, son orgueil en avait pris un coup. En fait, ce qu'il n'admettait pas, c'était que cette diablesse l'avait dérouillé rien que pour s'amuser. Comme si cela n'était pas suffisant, elle avait donné l'ordre de l'assassiner. C'était de la pure méchanceté. Mais comme le lui avait conseillé Roxane Novoï, mieux ne valait-il pas l'oublier ?

Le cabinet qu'occupait son père, était d'un confort rudimentaire, à l'image de ce qui existait dans le pays, aux antipodes de celui dont il aurait pu bénéficier s'il avait pratiqué dans une ville comme Montréal. C'était la première fois que Lorri le voyait à l'œuvre. Quelques années plus tôt, il s'était demandé pourquoi son père privilégiait ces endroits désolés et miséreux aux dépens d'une vie en famille, à l'intérieur d'une maison confortable. Il ne s'agissait pas de préférence, bien sûr, mais d'un choix, celui de se mettre à la disposition de ceux qui étaient dans la nécessité. Cela ne l'empêchait pas de profiter pleinement de sa femme et de ses enfants, lorsqu'il les retrouvait à la fin de chacune de ses missions. Lorri se souvenait avec bonheur de ces retrouvailles, comme il se rappelait aussi, avec tristesse, les nouvelles séparations qui, chaque fois, s'ensuivaient.

Keewat et Laurent avaient quitté Moujnak de bonne heure. Olivier Saint-Pierre, d'une stature semblable à la leur, leur avait donné de quoi être plus présentables : jeans et tee-shirts propres. Ils avaient rejoint le Centre et fait connaissance avec les équipes de travail.

La direction était composée d'une dizaine de membres hautement qualifiés. Parmi eux,

outre Lena Remiroff, se trouvaient Charles Dufresnes, professeur français, spécialiste de biogénétique et des systèmes adaptatifs ; Matt Ryan, Américain, chargé de la mise au point de nouvelles variétés de céréales ; West Bradford, de Grande-Bretagne, dont les travaux sur la dépollution par voie naturelle commençaient à connaître le succès ; Koud Zeravchanek, docteur en agronomie de l'université de Tachkent ; Inka Taousemeï, une biologiste kazakh ; Goërt Fribourg et Franz Hader, deux biochimistes de l'université de Bonn ; le professeur Také Utomitchi, prix Nobel de chimie ; Hélène Sanois, géologue hydrologue. Ces sommités étaient secondées par des groupes d'étudiants d'horizons divers, y compris de jeunes diplômés ouzbeks ayant pu, exceptionnellement, se soustraire à la récolte du coton, ainsi qu'un nombre important de manœuvres et d'ouvriers agricoles de la région.

Les deux compagnons d'aventures rejoignirent l'équipe de West Bradford à la dépollution. Une semaine s'écoula, pendant laquelle Laurent et Keewat se familiarisèrent avec les techniques utilisées. La restauration de l'écosystème de la mer d'Aral était une œuvre de longue haleine. Des unités de dépollution

physico-chimique avaient été installées à intervalles réguliers sur les derniers kilomètres de l'Amou-Daria et du Syr-Daria. Un système d'arrosage par percolation lente, appelé « goutte à goutte », amenait l'eau dans les champs de cultures nouvellement créés, ainsi que dans les terrains en cours de reboisement. Parallèlement à ces travaux, la totalité du cours des fleuves subissait des aménagements. Les anciens canaux d'irrigation étaient modernisés et l'utilisation d'engrais et de pesticides fortement diminuée. De place en place, des fossés ou des bassins dépolluants étaient creusés avant d'être garnis de plantes et ensemencés avec des bactéries mangeuses de métaux lourds.

Les pauses et les repas leur permirent naturellement de faire plus ample connaissance avec leurs collègues de travail. Un soir, on les prévint d'une réunion importante, à laquelle le personnel entier du CERÉMA était convié.

— Vous savez de quoi il s'agit, demanda Lorri à Hélène Sanois, qui mangeait à leur table.

— Régulièrement, Lena fait le point sur l'avancement des travaux, les difficultés rencontrées… Vous en avez certainement en-

tendu parler : les nouvelles variétés de céréales peinent à se développer. Un mal mystérieux est apparu, qui mine les cultures. C'est surtout de cela qu'il s'agira.

Une heure plus tard, le personnel de la base se bousculait par les portes battantes donnant accès à la salle du conseil. Les dix membres de la direction prirent place derrière leurs tables, face à une assemblée impatiente d'en savoir plus sur la progression du projet. Le soleil n'étant pas encore couché, une lumière rasante pénétrait par les baies vitrées et tombait sur des peintures d'artistes représentant ce que deviendrait la région lorsque l'œuvre entreprise serait parachevée. Ces visions d'espoir contrastaient douloureusement avec le panorama de la mer asséchée s'étalant au-delà des vitres.

Lena Remiroff prit la parole et énuméra de manière précise les avancements et les retards des différents secteurs d'activité. Elle termina par la plus mauvaise nouvelle : la contagion inexplicable, par un champignon, de la nouvelle variété de blé résistant à la sécheresse. La maladie était apparue, pratiquement du jour au lendemain, sans que l'on s'y attende. Les analyses n'étaient pas terminées, mais on pouvait déjà parler d'un germe non répertorié. Pour Matt Ryan, ce fléau était un vrai mystère.

— Il y aurait là-dessous une intervention humaine, murmura Keewat, que cela ne m'étonnerait pas.

— Qu'est-ce que tu veux dire ? demanda Lorri en se tournant vers son compagnon.

— Rappelle-toi, lorsque nous étions dans le repaire de l'organisation DARD. Ces odeurs de labo… Elles nous avaient sauté au nez.

— Tu veux dire que…

— Nastasya Wasp n'a qu'une envie : voir capoter le projet. Elle possède assez de moyens pour recruter des spécialistes en tous genres. Qui nous dit qu'elle n'a pas commandé à l'un d'eux de mettre au point ce champignon dont il est question ?

— Et de le répandre ensuite sur les cultures ? Comment ?

— Certaines nuits, j'ai du mal à trouver le sommeil. À plusieurs reprises, j'ai entendu un avion. Je me suis levé, mais je n'ai pas réussi à le localiser. Il n'y a qu'une seule explication : il volait tous feux éteints.

— Ma foi, c'est pas bête du tout, ce que tu dis. Tu penses qu'on devrait en toucher deux mots à Lena Remiroff ?

— Elle refusera peut-être cette hypothèse, mais lorsque nous lui aurons raconté la manière dont nous a traités Nastasya, ce qu'elle pense du CERÉMA, ce que nous avons vu dans sa base secrète…

— Tu as raison. On y va ! La réunion est terminée.

La responsable du Centre ouvrait des yeux ronds. Elle n'avait tout d'abord pas pris au sérieux les déductions des deux compagnons, mais plus ils apportaient de révélations, plus le doute s'installait dans son esprit. Koud Zeravchanek, appelé à la rescousse, répondit à ses questions. Il avait jadis entendu parler d'une organisation mafieuse se faisant appeler le DARD. Son meneur avait été assassiné dans des circonstances mal éclaircies. Depuis, il n'en avait plus d'échos.

— Nous pouvons vous affirmer que sa fille a repris le flambeau, déclara avec conviction Lorri. Les travaux accomplis ici contrarient ses affaires. Elle est à la solde des compagnies gazières.

— Qu'en pensez-vous, Koud ? demanda Lena Remiroff. Devons-nous avertir les autorités de votre pays ?

Le scientifique fit la grimace.

— Les compagnies gazières sont puissantes. Elles ne portent pas le CERÉMA dans leur cœur, ça, je le sais. Nos travaux se font avec l'aide d'organismes internationaux. Pour cette raison, elles affichent une certaine retenue. Quelques-uns de ses dirigeants seraient capables d'employer des moyens détournés pour nous mettre des bâtons dans les roues, j'en suis persuadé. Mais agir directement contre elles pourrait nous retomber dessus. Il nous faudrait des preuves…

— Je connais un moyen d'en obtenir, insinua Laurent.

— Comment cela ? s'étonna la généticienne russe.

— « Les Larmes d'Aral », vous connaissez ?

— Roxane Novoï, n'est-ce pas ? fit Koud Zeravchanek. Je la connais. Elle est à la tête d'un mouvement écologique de protestation né de l'état d'abandon dans lequel les occupants soviétiques ont laissé la région. Ce mouvement plaide pour un retour des eaux à Aral et n'hésite pas à exprimer son mécontent-

tement auprès du gouvernement qu'il juge inefficace.

— Roxane Novoï et ses partisans n'hésitent pas non plus à combattre le DARD. Je peux la contacter.

— Après ce que vous venez de me dire, protesta Lena Remiroff, vous risquez de remettre les pieds...

— ... dans un guêpier, je sais, coupa Lorri. J'ai malgré tout envie d'essayer. Si vous pouvez vous passer de nous quelques jours...

— Pas d'objection. Mais comprenez-moi bien, ajouta la responsable du Centre, n'allez pas mettre vos vies en danger. Si tel était le cas, je préférerais avertir les autorités. Parlez-en au docteur Saint-Pierre, c'est votre père après tout.

Elle les regarda s'éloigner. Ces deux garçons étaient de drôles de gaillards.

— Laisse-moi deviner, fit Keewat en saisissant l'épaule de son compagnon et en le forçant à l'écouter. Tu vas essayer de retrouver ce type, le directeur de l'école, à Samarkand, hein ? Je ne vois pas d'autre moyen de rétablir le contact avec Roxane Novoï, puisqu'elle ne nous a pas laissé son numéro de portable. À moins de remettre la main sur son oncle, dans le désert... Autant y chercher un orignal.

— Tu as tout compris. Demain, le Cessna fait un voyage à Tachkent. Je m'arrangerai avec le pilote pour qu'il nous dépose à Samarkand. Si c'est possible, bien entendu.

— Ne va pas t'imaginer que j'ai les foies, mais je crains que cette histoire nous entraîne plus loin que prévu. Nastasya Wasp et sa bande ne sont pas des enfants de chœur. *Remember*, notre petite expérience de fossoyeurs...

— Le sabotage du travail accompli ici n'est pas acceptable, Keewat. C'est notre tour de mettre des bâtons dans les roues du DARD et de ses commanditaires. Mais, dans un premier temps, il faut retrouver Roxane Novoï. Sans elle, nous ne pouvons rien.

— Où vas-tu ? Cette chambre est celle d'Hélène Sanois.

— Le lac Sarez. J'ai envie d'en apprendre un peu plus à ce sujet.

Lorri frappa à la porte qui, après un court laps de temps, s'ouvrit sur la géologue en peignoir de bain. Elle sortait de la douche.

— Lorri ? Keewat ? Qu'est-ce qu'il y a ?

— Excusez-nous, Hélène. Si vous le permettez, nous aimerions savoir où se trouve le lac Sarez, et de quel type de lac il s'agit. Vous pouvez nous donner ces informations ?

— Au Tadjikistan… Mais… je m'apprêtais à me servir une tasse de tisane. De la menthe réglisse, ça vous dit ? Si l'on vous voit devant ma porte, ça risque de faire jaser. Entrez.

Laurent jeta un coup d'œil à la montre que son père lui avait prêtée. Il n'avait pas réalisé qu'il était si tard, pas plus qu'il était inconvenant de rendre visite à une jeune femme dans sa chambre, à une heure aussi indue.

La scientifique alluma un petit réchaud et mit de l'eau à bouillir.

— En quoi le lac Sarez peut-il bien vous intéresser ? demanda-t-elle en finissant de se sécher les cheveux.

— À vrai dire, nous ne le savons pas vraiment, commença Laurent. Nous en avons entendu parler de manière plutôt… sibylline.

— En voilà un mystère ? Mais vous n'avez pas tout à fait tort. Longtemps, l'existence de ce lac est restée secrète en Occident. Il s'agit de ce qu'on appelle un « lac éphémère ». Ce type de plans d'eau se forme en général très rapidement. Ils peuvent durer un siècle… ou un jour. Le lac Sarez, surnommé « le dragon endormi », est apparu en une nuit, il y a plus de quatre-vingt-dix ans. Il est situé au fond

de la vallée de la Bartang, à plus de trois mille mètres d'altitude, dans les montagnes du Pamir.

— Il est grand ?

— Aujourd'hui ? Soixante-dix kilomètres de long et près de cinq cents mètres de profondeur.

— Pfuiiit ! siffla l'Indien tchippewayan. En voilà une sacrée réserve d'eau.

— Vous pouvez nous le montrer sur une carte ?

Hélène Sanois marcha vers une table, encombrée d'un tas de paperasses, et revint chargée d'un atlas géographique.

— C'est ici, précisa-t-elle en désignant un point précis.

— Cette rivière, là, qui serpente, c'est…

— … l'Amou-Daria.

— Le lac Sarez se déverse dans l'Amou-Daria ? s'étonna Laurent.

— Pas directement. En 1911, un tremblement de terre a provoqué l'éboulement d'un pan entier de la montagne. Deux milliards et demi de mètres cubes de terre et de roches ont formé un gigantesque barrage naturel, engloutissant le village d'Usoi. La rivière Murgab, qui coulait des monts voisins, s'y trouva emprisonnée. Ses eaux se sont accu-

mulées dans le bassin ainsi formé, qui est devenu le lac Sarez. Au pied de l'éboulement sont apparues ensuite des dizaines de sources. Ce sont elles qui alimentent en partie la rivière Bartang qui est un des affluents de l'Amou-Daria.

— Ce barrage, il est solide ? demanda Keewat en fixant Lorri d'un air entendu.

Pour les deux compagnons, une partie du voile commençait à se lever. « Éboulis » pouvait parfois rimer avec « explosifs ».

— Plutôt, oui, reconnut la scientifique. Il fait entre cinq cent cinquante et sept cents mètres de hauteur. Sa base est très large. Un véritable mastodonte !

— Le niveau de l'eau ne monte plus ?

— Il augmente de vingt centimètres par an. Ça dépend des précipitations et de l'enneigement.

— Qu'arriverait-il s'il se mettait à déborder ?

— Le flux de l'Amou-Daria en serait nettement augmenté.

— Et si, pour une raison ou pour une autre, ce barrage cédait. Que se passerait-il ?

— Une catastrophe. Le mot est faible. Pour cette raison, la région est placée sous haute surveillance. Un poste de garde est installé près du lac. En cas de danger, il avertirait les populations des villages en contrebas, par CB[1].

— Un tel événement serait donc possible ?

— C'est possible, oui ! De plus, à cinq kilomètres en amont du lac, des pans de la montagne sont instables. Les séismes sont fréquents dans ce coin. Qu'il s'en produise un plus puissant que les autres et de nouveaux éboulements pourraient avoir lieu. Un raz-de-marée leur succéderait, soulevant les eaux du lac sur plus de cent mètres de haut. Cette vague gigantesque foncerait sur la digue comme un véritable tsunami. Résisterait-elle ? J'en doute. De même, si le niveau du lac montait de nouveau rapidement, le barrage pourrait peut-être se rompre. Dans ce cas, ce serait effroyable. Toutes les terres bordant l'Amou-Daria seraient ravagées... jusqu'à la mer d'Aral.

— Imaginons, poursuivit Lorri, que quelqu'un de malintentionné, place une charge de dynamite au bon emplacement, sur la digue, ou sous ces pans instables. Badaboum !

---

[1] Bande publique. Moyen de communication radio.

— Pour commencer, il en faudrait des tonnes de votre explosif réparti à de multiples endroits. Ensuite, comme je vous l'ai dit, accéder au lac Sarez requiert des autorisations spéciales. Je ne vois d'ailleurs pas qui pourrait s'amuser à tenter une telle expérience. Il faudrait être fou... Dites-moi, d'où vous vient cette idée ?

— Il est vraiment tard, dit Laurent en se levant précipitamment. Excusez-nous pour le dérangement, Hélène. On se reverra au travail. Bonne nuit.

La scientifique referma la porte de sa chambre, un sourire au coin des lèvres. Quels phénomènes que ces deux-là !

10

Expédition nocturne

Ils attendaient depuis un bon laps de temps dans l'obscurité. Légèrement en contrebas, la rivière Zeravchan glougloutait doucement. Le lieu de rendez-vous fixé par Alicher Alimbek, le professeur de danse, se situait dans un quartier peu fréquenté de la ville. En le dénichant, Laurent et Keewat avaient hésité ; pour un traquenard, c'était le coin idéal. Mais ils ne disposaient d'aucune autre piste pour rétablir le contact avec Roxane Novoï. Ils s'étaient donc enhardis. Tant pis si l'homme jouait double jeu. C'était un risque à courir, car ils n'ignoraient pas qu'Alimbek fréquentait également Nastasya Wasp.

Les deux compagnons s'étaient lancés dans l'aventure. Quelques heures plus tôt, le

pilote du CERÉMA les avait déposés à Samarkand. Sur place, en se faisant aussi discrets que possible (ils avaient endossé de vieux vêtements et ramassé leurs cheveux sous des *tioubitieïka*), ils avaient rejoint l'école. Alicher Alimbek les avait écoutés avec méfiance avant de disparaître derrière une porte. Lorsqu'il réapparut, il leur donna simplement un nom et une heure : la mosquée blanche, vingt-trois heures. Ils s'étaient renseignés par-ci par-là et avaient finalement trouvé le site, en bordure de la rivière, où jadis se dressait une mosquée au fronton de marbre blanc. Aujourd'hui, il n'en restait que quelques ruines, bordées par d'autres édifices tout aussi éventrés.

— J'espère qu'aucun sbire de Nastasya ne nous a repérés, dit à voix basse l'Indien.

— Grâce à ces tenues vestimentaires, nous nous sommes fondus dans la population, répondit Lorri sur le même ton.

— Sans doute. Mais en apprenant que nous avons échappé au sort qu'elle nous réservait, elle n'a sûrement pas oublié de diffuser notre signalement. Doit plutôt être du genre pitt-bull, la jolie Nastasya.

— Je ne vois pas ce qui pourrait susciter un tel entêtement. Après tout, nous ne sommes

que deux types ordinaires, en stage dans un centre de travail international. Quel danger pouvons-nous représenter pour son organisation ?

— Nastasya nous a révélé certaines de ses motivations. De plus, nous avons échappé de justesse à un assassinat qu'elle avait elle-même commandé. Voilà de quoi l'accuser sérieusement, non ?

— Il faudrait encore qu'on puisse le prouver.

— Y a pas à dire, reprit l'Indien après une pause, ce sont deux sacrées nanas… Tu penses vraiment que Roxane a l'intention de faire sauter le barrage du lac Sarez ?

— Son comportement est plutôt ambigu. Il se pourrait bien que « Les Larmes d'Aral » dissimulent autre chose qu'une gentille association. Tu as vu la manière avec laquelle elle a zigouillé les gardes dans le désert ? Taca-tacatac ! Une bonne rafale de kalachnikov et ni vu, ni connu. Tu en connais beaucoup, toi, des filles, et même des gars, capables d'un tel sang-froid ? Je la soupçonne de détourner les fonds collectés au cours de ses campagnes de sensibilisation sur la mer d'Aral dans des buts un peu moins catholiques.

— *Shut up!*

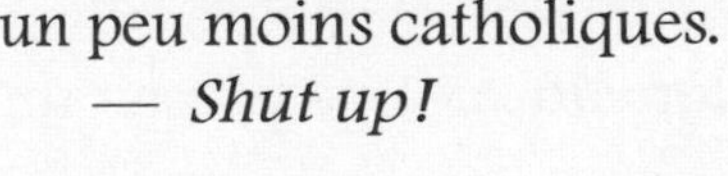

Keewat serra le bras de son ami. Quelqu'un approchait.

— Décidément, vous ne pouvez plus vous passer de moi, fit une voix féminine dans l'obscurité.

— Roxane ? C'est vous ?

— C'est bien moi. Excusez le décor, mais le DARD m'oblige à prendre certaines précautions. Ma tête est mise à prix… et la vôtre aussi, sans doute. Apparemment, vous n'avez pas suivi le conseil que je vous ai donné. Au CERÉMA, vous étiez en sécurité. Mais vous devez avoir une bonne raison de vous trouver ici…

— Nous souhaitions vous rencontrer, dit Lorri.

— Si vous voulez adhérer à mon association, la procédure la plus simple est d'utiliser le courrier électronique.

— Nous n'avions plus l'adresse, intervint Keewat. Mais la question n'est pas là, n'est-ce pas, Laurent ?

— C'est exact. Nous avons besoin de votre aide.

— Encore ?

— Encore ! Le CERÉMA rencontre des difficultés. De nouvelles variétés de céréales sont irrémédiablement attaquées par un

champignon. Nous soupçonnons Nastasya Wasp d'être à l'origine de ce mal mystérieux... Lors de notre passage dans son repaire, nous avons cru déceler des odeurs de laboratoire. Nous pensons que des spécialistes y cultivent le fongus en question et qu'ils le répandent ensuite sur les cultures afin de les détruire. Nous aimerions obtenir des preuves de ce que nous avançons.

— Rien que cela!... Écoutez-moi bien, tous les deux. Le DARD est un groupement extrêmement dangereux. Dois-je revenir sur votre mésaventure? Abandonnez! Point à la ligne!

— On ne peut pas laisser Nastasya Wasp mettre en péril le travail du CERÉMA, vous le savez bien. Des millions de dollars sont engagés. Ils proviennent de la Communauté internationale, de donateurs privés... Ce travail représente un espoir, celui de voir la région de l'Aral réhabilitée. C'est aussi votre but, non? Si nous pouvons prouver que la Guêpe est à l'origine de la maladie touchant les cultures, les autorités ouzbeks réagiront.

— Vous en êtes sûrs? Auriez-vous la prétention de connaître ce pays mieux que moi? Le DARD a des espions à l'intérieur du gouvernement, et les millions de dollars des compagnies gazières pèsent plus lourd dans la balance que ceux drainés par le Centre.

— Si nous présentons des preuves, la Communauté internationale réagira, elle.

Roxane Novoï garda le silence. La tache pâle de son visage ressortait légèrement sur l'obscurité. Elle réfléchissait.

— Peut-être, reprit-elle. Mais avant d'engager des poursuites légales, il se passera des semaines, voire des mois. Et faites-moi confiance, les compagnies gazières tireront leur épingle du jeu. Cela n'empêchera pas les forages. Tenez, il n'y a pas si longtemps, le maire d'Aralsk avait entrepris un vaste projet. La digue qui séparait la Petite mer, au nord, du reste de la mer d'Aral, était son idée. Cette digue servait à réapprovisionner la Petite mer en eau par le Syr-Daria, en empêchant ces mêmes eaux de se perdre vers la Grande mer. Il avait commencé à obtenir des résultats. La Petite mer avait même été rempoissonnée. Vous savez ce qui lui est arrivé ? En lui donnant une fausse promotion, les autorités du pays l'ont écarté de la région. Depuis, tous ses efforts ont été anéantis. Retour à la case départ. On parle même d'une usine hydroélectrique qui serait construite sur le fleuve… La mer d'Aral ne peut plus attendre.

— C'est quoi exactement ton projet, Roxane ? demanda Lorri en tutoyant la jeune femme qui, après tout, n'était guère plus âgée qu'eux. Ce ne serait pas de tenter une action extrémiste en provoquant un cataclysme, en amont de l'Amou-Daria ? On est bien renseignés. La rupture de la digue d'Usoi serait une véritable catastrophe. Des villages entiers seraient détruits, des milliers de gens périraient noyés, le travail du CERÉMA serait réduit à néant.

— Mais la mer retrouverait son eau…

— Le Centre travaille en ce sens, tu le sais bien. C'est un travail de longue haleine, mais il finira par porter ses fruits.

— Notre association compte des membres qui se sont penchés sur la question. Pour eux, il est déjà trop tard. Lorsque les infrastructures du CERÉMA seront pleinement opérationnelles, ici, en Ouzbékistan, et le long des fleuves, en territoire voisin, l'Aral sera asséchée. Notre économie est toujours tributaire du coton. La meilleure preuve, c'est qu'il existe une loi qui oblige les étudiants ouzbeks à interrompre leurs études pour le récolter. Nous n'avons pas d'économie de substitution, les compagnies gazières le savent bien. C'est assez facile pour elles de faire miroiter le fric.

— La rupture de la digue serait une manière de précipiter les choses, n'est-ce pas ? intervint Keewat. La manière forte, en quelque sorte.

— J'ignore d'où vous vient cette idée. Mais pourquoi pas, après tout ? Quand il n'y a pas d'autre alternative… Beaucoup de causes en sont réduites à de semblables extrémités.

— Provoquer la mort de centaines d'innocents ! protesta Lorri.

— Depuis cinq décennies, notre mer se meurt. Toute une flore, toute une faune… Des milliers de gens aussi. Vous ne croyez pas, tous les deux, qu'il s'agit également d'un drame ?… Mais cette discussion est inutile. Encore une fois, je vous répète que Nastasya Wasp vous a raconté des mensonges. Son but est de me discréditer. Revenons à votre problème. Je vais vous aider. Avant tout, êtes-vous bien conscients des risques que vous allez prendre ? Vous retombez droit dans le guêpier et Nastasya ne vous ratera pas une seconde fois. Quant à moi, je ne me fais guère d'illusions sur mon sort.

— Tu n'as pas froid aux yeux, on le sait. Si, par la suite, la mission devenait trop

périlleuse, on passerait à une autre stratégie. On essaierait de convaincre les autorités sans l'aide de preuves. Je préfère penser que nous trouverons ce que nous cherchons.

— C'est-à-dire ?

— Le champignon... Ils doivent bien entretenir la souche quelque part dans leur laboratoire, sur des milieux de culture, une fiole, un tube à essais, des boîtes de Pétri, je ne sais pas... Un seul échantillon nous suffira. De retour au Centre, nos spécialistes feront des tests. On saura alors si cette souche est identique à celle qui ronge les plants des céréales expérimentales.

— Votre scénario paraît simple, ricana Roxane Novoï. Bon. Je suppose qu'il est inutile de vous faire entendre raison. Suivez-moi.

Le surlendemain, il ne faisait pas chaud. C'était cela, le désert : une fournaise le jour et un froid de canard la nuit. Laurent resserra ses nippes : une djellaba, qui n'en était pas vraiment une, passée par dessus son déguisement ouzbek, et un turban. Cette tenue était celle des gardes du DARD abattus par Roxane.

La jeune femme s'était d'ailleurs accoutrée de manière identique, tout comme Keewat et un autre adepte des « Larmes d'Aral ». Les quatre membres de cette escapade nocturne se déplaçaient à dos de chameaux. Les bêtes leur avaient été fournies par un éleveur kazakh vivant sous une yourte. Ce moyen de locomotion avait été imposé par Roxane elle-même, parce qu'elle le jugeait silencieux, et donc parfaitement adapté à la mission. La nuit, sur les grandes étendues désertiques, les sons portent loin. Il n'était pas question d'approcher du repaire de l'organisation mafieuse à bord d'un quelconque engin motorisé.

Laurent leva la tête. Le ciel fourmillait d'étoiles. Que faisaient-ils là, tous les deux, ballottés par les déhanchements de leurs montures ? Ils s'étaient encore embarqués dans une drôle d'aventure. « Papa va se demander une fois de plus où nous sommes passés », songea-t-il. Il n'avait pas eu le temps de l'informer du déroulement des opérations. Lorsqu'ils s'étaient revus, avant le départ vers Samarkand, Laurent l'avait mis au courant de leur projet. Olivier Saint-Pierre lui avait fait entrevoir les risques de cette affaire. La police, voire l'armée, étaient là pour ça. Pour

rassurer son père, Lorri avait simplement dit qu'il tenait à rencontrer Roxane Novoï pour lui soumettre leur plan. S'il essuyait un refus, il regagnerait sagement le Centre. Bien sûr, il avait dissimulé son envie de rendre la monnaie de sa pièce à Nastasya Wasp. Au fond de lui, c'était un peu ça qui le poussait à agir. Olivier Saint-Pierre avait insisté pour accompagner les deux jeunes gens, mais son fils avait réussi à l'en dissuader. « Les malades ont besoin de tes soins. Ta place est ici, au dispensaire, papa. Nous, il en va autrement. Lena Remiroff nous a autorisés à nous absenter quelques jours. » Le médecin leur avait finalement fait promettre de ne pas jouer les héros… sans se faire d'illusions, cependant.

Roxane fit signe d'arrêter les montures et de mettre pied à terre. Ils étaient arrivés au bas d'un escarpement.

— Djeït va rester ici, près des bêtes, traduisit-elle après s'être exprimée longuement en ouzbek avec son compagnon. Si nous ne sommes pas de retour dans trois heures, il partira avertir les autres.

— Les autres ?

— « Les Larmes d'Aral ».

— Nous sommes loin du repaire du DARD ? demanda Keewat.

— Cet escarpement permet d'atteindre le plateau sous lequel Nastasya Wasp a fait aménager un de ses quartiers généraux. C'est là que vous avez été retenus prisonniers.

Keewat leva les yeux. Malgré la clarté diffusée par le quartier de lune, il était incapable de se repérer.

— Comment y pénétrerons-nous ? s'informa-t-il.

— Là-haut, à quelques kilomètres, il y a un conduit d'aération naturel. Nous tenterons de nous y glisser. Je ne peux pas vous promettre qu'il ne sera pas gardé. Sur place, nous improviserons... Maintenant, on y va. Et surtout, on garde le silence.

11

Plan d'action

En plein jour, ils auraient probablement été aussi visibles que le nez au milieu de la figure, mais à la faveur de la nuit, ils pouvaient progresser le long des rochers avec un minimum de risques. Lorsque se présentait une zone dégagée, ils couraient au ras du sol jusqu'au bloc de roche suivant, en priant le ciel qu'aucune sentinelle, équipée de détecteurs à infrarouge, ne les repère à distance.

Le trio avait escaladé le dénivelé et abordait maintenant le plateau proprement dit. Leur progression dura ainsi plus d'une heure avant que Roxane Novoï ne désigne un point précis.

— Voilà l'ouverture du conduit d'aération, murmura-t-elle.

— Il n'y a pas de garde. La chance est avec nous, se réjouit Lorri.

Cette absence de surveillance intriguait Keewat. Comment pouvait-on négliger une telle précaution ? Cela ne cadrait pas avec la réputation du DARD. Ce terrain ne ressemblait en rien à celui des Territoires du Nord-Ouest, où il excellait dans le suivi de pistes. Malgré tout, il avait le sentiment d'avoir tourné en rond. Cette impression, il la devait à la position des étoiles, tout comme à celle de la lune, à laquelle, dès son plus jeune âge, il avait appris à se fier.

— Allons-y, commanda Roxane.

En quelques enjambées, le groupe rejoignit la cavité. C'était un puits naturel dans lequel il semblait aisé de se glisser.

— Il y a de la lumière, en bas, dit Laurent.

— Rien d'étonnant. N'oublie pas que ce repère est habité.

— Je passe le premier, décida le Québécois. Après tout, si nous sommes ici, c'est à cause de moi.

— Je te suis, ajouta Keewat.

— Très bien. Je vois que vous ne manquez pas de cran, tous les deux. Je descendrai donc après vous.

Lorri leva le pouce puis disparut. Le Tchippewayan attendit une bonne minute avant de se glisser à son tour à l'intérieur du conduit.

Comme ils l'avaient supposé, la descente ne présentait aucune difficulté. Les nombreuses aspérités de la roche leur permettaient de s'accrocher efficacement. Au bout de dix minutes à peine, Laurent rencontra le vide. Le sol était à deux mètres sous lui. Il compta jusqu'à trois, puis sauta. Il se reçut sur la pointe des pieds, puis se redressa. Sa tête heurta violemment quelque chose. La voûte ? Non, c'était trop stupide… Il s'affala, inconscient.

La douleur allait et venait à l'intérieur de son crâne, comme une vague sur un rivage. Puis, petit à petit, elle reflua et il ouvrit les yeux.

La première chose qu'il vit, ce fut Djeït, à quelques mètres de distance, près d'une bougie. L'homme eut un sourire contrit. Lorri aperçut ensuite le corps inanimé de son ami, étendu sur le sol. Il leva la tête au plafond et se massa l'occiput en laissant échapper deux ou trois jurons. Une question le chicotait. Pourquoi Djeït ne les aidait-il pas à reprendre connaissance au lieu de se tenir ainsi à distance ? Et où était Roxane Novoï ?

Il regarda une nouvelle fois l'Ouzbek avant de secouer doucement le Tchippewayan.

— Ohé ! Keewat ! Tu m'entends ?

Lui aussi s'était donc bêtement cogné la tête ? Vous parlez de deux héros !

— Ohé ! répéta Lorri. Debout là-dedans !

Deux gémissements, des mots incompréhensibles, l'Indien se redressa péniblement.

— Fiente d'ours ! Qu'est-ce qui s'est passé ? La paroi s'est effondrée ?

Djeït se manifesta, en articulant quelques mots dans sa langue. Il tendit une feuille de papier sur laquelle apparaissaient plusieurs lignes manuscrites. À la signature du bas, Lorri devina qu'elles étaient de Roxane Novoï.

« *Ne m'en veuillez pas, tous les deux. J'ai ordonné à Djeït d'agir de la sorte pour votre bien. J'espère que les bosses qu'il vous a occasionnées en vous assommant ne vous feront pas trop souffrir. Nastasya Wasp est un trop gros morceau pour que vous preniez le risque de vous y attaquer de nouveau. Croyez-moi, c'est mieux ainsi! Oubliez-la. Djeït va vous*

ramener au CERÉMA. Votre place est là-bas. Là, vous ne risquerez rien lorsque la mer d'Aral se vengera. Une mission m'attend. Nous ne nous reverrons jamais. J'ai été très heureuse de vous avoir rencontrés... Roxane.»

— Qu'est-ce que ça dit ? s'enquit Keewat en se massant le front.

— Un petit mot de Roxane... On s'est fait jouer dans le dos, mon vieux !

Laurent relut le message à voix haute, puis toisa l'Ouzbek.

— Merci beaucoup, l'ami. Tu es une vraie mère poule pour nous !

— Moi, pas exprès ! répondit l'homme de main. Mieux ainsi... Vous, venir, maintenant.

Il se leva.

— Quand je te disais que c'était une sacrée nana ! lança le Tchippewayan. Ah, elle nous a bien eus ! Et maintenant, on fait quoi ?

— Vous, venir, répéta Djeït. Camion attendre dehors.

Laurent emboîta le pas au mercenaire. Ils sortirent par une issue différente du conduit, celle que Djeït avait utilisée pour les surprendre. De l'extérieur, la cavité apparut comme une simple grotte qui, bien entendu, n'avait jamais servi de repaire au DARD.

À proximité des chameaux, un camion bâché attendait, le moteur tournant au ralenti. Deux hommes en descendirent. Ils récupérèrent les montures. Les trois complices échangèrent quelques mots. L'un d'entre eux vint amicalement passer la main sur la tête des deux jeunes gens.

— *Sorry! Sorry!* s'excusa-t-il avec un accent affreux.

— *Sorry, sorry...* Facile à dire, maugréa Laurent qui enrageait de s'être laissé avoir comme un gamin une seconde fois. Où est Roxane ?

Djeït ne donna aucune réponse. Il désigna les sièges du véhicule, puis grimpa à bord de la cabine.

— Allons-y, proposa Keewat. Au point où nous en sommes...

Lorri referma brutalement la porte et le camion se mit en branle. Par le rétroviseur extérieur, il vit les silhouettes des membres des « Larmes d'Aral » disparaître dans les jets de poussière soulevés par les roues. Le jour était levé. Sa montre indiquait neuf heures. Ils étaient donc restés inconscients un sacré

bout de temps. Pas à dire, Djeït savait s'y prendre !

— Elle aurait pu nous éviter ça, cria l'Indien pour couvrir le bruit du moteur. Suffisait de dire non.

— Elle a deviné qu'on ne renoncerait pas aussi facilement, expliqua Laurent. Ce traitement lui a permis de nous tenir à l'écart plusieurs heures, le temps de se lancer dans sa mission.

— Laquelle ?... Attends, je devine. Tu ne veux pas dire qu'elle...

— J'en ai peur. Le barrage... Comment va-t-elle s'y prendre, je l'ignore. Lui, il doit savoir.

Tous deux dévisagèrent l'Ouzbek. Il leur fit comprendre qu'il ne saisissait pas un mot de la conversation.

— Bon sang ! Elle ne sait pas ce qu'elle fait. Si elle arrive à ses fins, c'est une effroyable catastrophe qu'elle va déclencher.

Un silence de mort s'installa entre les deux compagnons. Dans leur dos, ils sentaient la présence pesante de millions de mètres cubes d'eau prêts à se déchaîner. Il fallait faire quelque chose à tout prix !

Le camion, mené à tombeau ouvert par son conducteur, avait roulé plusieurs heures, puis Djeït avait déposé Laurent et Keewat à Moujnak. Le lourd engin avait ensuite fait demi-tour avant de disparaître, avalé par le sable.

— Cette histoire est rocambolesque, conclut Olivier Saint-Pierre, assis derrière son bureau. Où est-il, ce fameux barrage ? Je n'en ai jamais entendu parler, ici.

— As-tu une carte, papa ?

— Quelque part, sur ces étagères. Je vais la chercher.

Une poignée de secondes plus tard, le médecin revint en brandissant triomphalement une feuille de papier pliée.

— La voici.

— C'est là que se trouve le lac Sarez, dit Lorri en désignant un petit croissant bleu.

— Mais c'est au Tadjikistan ! C'est loin, très loin. Comment pourrions-nous craindre quelque chose à Moujnak ?

— Il n'y a pas que Moujnak sur l'Amou-Daria, papa. Plus en amont, il existe également des villes et des villages, non ?

— Très juste, fiston.

— Ce lac sur la carte ressemble à une petite mare, ajouta Keewat. En réalité, il

mesure soixante-dix kilomètres de long et a cinq cent mètres de profondeur. À titre de comparaison, il est bien plus grand que le lac Memphrémagog, dans les Cantons de l'Est, où vous passez quelquefois vos vacances, n'est-ce pas ?

— Je vois, je vois, murmura le praticien.

— Et il est perché à trois mille mètres d'altitude, renchérit Laurent. Ce qui, en cas de rupture de la digue, augmente d'autant son potentiel destructeur. Imagine, une vague de cent mètres de haut qui déferle...

— Tornon ! Vous avez raison, les gars. Mais votre Roxane Novoï a-t-elle vraiment les moyens de provoquer une telle catastrophe ?

— Elle a l'air sûre d'elle, en tout cas.

— Et si on en parlait une nouvelle fois à Hélène Sanois ? proposa l'Indien tchippewayan.

— La spécialiste du Centre, expliqua Lorri en répondant au regard interrogateur de son père. Ma foi, pourquoi pas ? Mais dépêchons-nous. Pouvons-nous utiliser le quatre-quatre, p'pa ?

— Évidemment. Mais... doucement, hein !

Ils foncèrent rapido vers le Centre. Assis sur le siège passager, Keewat n'apercevait pas la mer d'Aral. Il la sentait, cependant. C'était une impression étrange qu'il ne pouvait s'expliquer. Tout au fond de lui, une marée d'angoisse montait. Était-ce la sienne ? Ou celle d'Aral, cette mer qui ne voulait pas mourir ?

— Pour l'instant, dit Lorri, motus et bouche cousue sur Roxane. L'accuser ouvertement lui causerait un tas d'ennuis. Après tout, elle défend une bonne cause. C'est dans sa manière de parvenir à ses fins qu'il y a un problème.

— Ouais. Je partage ton avis. Elle a de l'énergie à revendre, cette fille. Et nous lui devons la vie. Jamais je ne l'oublierai.

Un coup de freins sec. Les deux complices bondirent hors du véhicule. Ils gagnèrent rapidement le quartier des ingénieurs, frappèrent à la porte du bureau d'Hélène Sanois, qui, d'une voix étouffée, les convia à entrer.

— Keewat ! Laurent ! Vous voilà de retour ?

— Nous avons besoin de votre aide, Hélène, commença Lorri sans autre préambule.

— Holà ! Vous me paraissez bien excités, tous les deux.

— Nous aimerions que vous nous repar-liez du lac Sarez, expliqua le Tchippewayan. Il nous faut des précisions.

— Que se passe-t-il encore ? Ne me dites pas que vous revenez à la charge avec votre histoire à dormir debout de faire sauter le barrage ?

— Cette fois-ci, c'est du sérieux, Hélène !

L'ingénieure perdit son sourire. Elle le somma de s'expliquer, et clairement.

— Je vous écoute. Mais, s'il vous plaît, calmez-vous.

À tour de rôle, ils racontèrent leurs mésaventures depuis qu'ils avaient mis les pieds en Ouzbékistan. Ils insistèrent sur la rivalité existant entre Nastasya Wasp et Roxane Novoï, les buts diamétralement opposés qu'elles suivaient et, surtout, leur énergie de bêtes sauvages prêtes à tout pour arriver à leurs fins.

— Je veux bien croire ce que vous me racontez, dit Hélène Sanois en étalant une carte de l'Asie centrale sur le bureau, mais jetez un coup d'œil sur le cours de l'Amou-Daria. Comme vous le constatez, ce fleuve sert de frontière à plusieurs pays. En remon-tant vers les montagnes, il serpente au Turkménistan avant de séparer l'Afghanistan du Tadjikistan. Le lac Sarez se situe dans une zone très difficile d'accès. Croyez-moi, les autorisations pour y monter sont données au compte-gouttes… Ensuite, pas moins de deux mille kilomètres séparent la vallée de la Bartang de la mer d'Aral. Si une telle catastrophe survenait, l'eau qui rejoindrait la mer d'Aral le ferait par l'ancien delta du fleuve…

— Et qu'est-ce qui se passerait avant que cette eau rejoigne la mer ?

— Avant… heu… Vous avez raison, ce serait un désastre. Cinq millions de personnes vivent le long de l'Amou-Daria. Sans compter les infrastructures… Mais comment votre Roxane s'y prendrait-elle pour faire sauter le barrage ? Je vous rappelle qu'il s'agit plutôt d'une digue naturelle formée jadis par un éboulement colossal. Je ne crois pas à cette hypothèse. Ce scénario est impossible.

— Sauf si elle ne cherche pas à faire exploser la digue mais à provoquer un nouveau glissement de terrain dans le lac pour le faire déborder.

— De quoi engendrer une vague gigantesque, compléta le Tchippewayan. Nous n'inventons rien, nous tenons ça de vous.

Hélène Sanois fixa ses deux interlocuteurs. Le doute envahit son visage, succédant

à l'incrédulité. Elle n'avait plus du tout envie de sourire.

— Tout cela est très grave, fit-elle en se tenant la tête. Il faut avertir les autorités. En premier lieu, Lena Remiroff.

— Le temps presse, reprit Laurent Saint-Pierre. Et je doute que l'on nous prenne au sérieux. Pour le moment, ce ne sont que des hypothèses, comme vous l'avez dit !

— Ah oui ? Que peut-on faire, alors ?

— Avez-vous l'autorisation de vous rendre au lac Sarez ? En tant que scientifique ?

— Moi ? Mais c'est à...

— Deux milles kilomètres, on sait. Un seul moyen : l'avion.

Keewat fixa son ami. Où voulait-il en venir ?

— Nous avons besoin d'une personne pour nous accompagner. Une sorte de laissez-passer. Votre statut de géologue doit certainement faire l'affaire. Nous allons, heu... emprunter le Cessna du CERÉMA, nous rendre au lac et tenter d'intercepter Roxane Novoï avant qu'il ne soit trop tard.

— C'est de la folie ! s'écria l'ingénieure. Jamais Lena Remiroff ne nous donnera l'autorisation d'utiliser l'avion pour une mission aussi invraisemblable. Sans compter le refus du pilote…

— Ça, ce n'est pas un problème. Keewat sait piloter, pas vrai mon vieux ? Quant à l'autorisation de la commandante Remiroff… nous nous en passerons… Si vous n'avez plus rien à ajouter, Hélène, en route ! Nous avons un avion à prendre.

12

Plein ciel

« C'est de la folie ! » se répétait sans cesse la géologue. Elle avait à peine pris le temps d'emmener ses papiers officiels avant de quitter en trombe son bureau. Le trio se dirigeait d'un pas alerte vers le hangar recouvert de tôles où était remisé le Cessna. « Comment Laurent et Keewat allaient-ils s'y prendre pour convaincre Sam de leur laisser l'appareil ? » Elle se rappela soudain que le pilote n'était pas au Centre. C'était son jour de repos.

— J'espère qu'il y a du jus dans les réservoirs, s'inquiéta le Tchippewayan.

Hélène Sanois invoqua le ciel pour qu'il n'y en ait pas, mais lorsque l'Indien, après avoir grimpé à bord, mit la batterie en circuit, elle sut que le ciel n'avait pas écouté ses prières. Les aiguilles des jauges avaient effectué une rotation à droite et s'étaient arrêtées sur *full.* Elle se résigna.

— Tu sais réellement piloter ? interrogea-t-elle.

— Laurent ne vous a pas menti, répondit Keewat. J'ai mon brevet de pilote. Dans les Territoires du Nord-Ouest, l'avion est souvent le seul moyen de se déplacer. Ce coucou est juste un peu plus gros que celui que j'utilise habituellement. Mais ne vous inquiétez pas, les commandes de base sont les mêmes.

— Bon. Vous avez gagné, tous les deux. C'est une folie, je le répète, mais je vous suis. Laissez-moi écrire un mot pour Sam. Inutile qu'il alerte tout le Centre en criant au vol ! Quant à Lena, je préfère ne pas y penser...

— Lorri, coupa le Tchippewayan, vérifie s'il y a une carte à bord. Nous allons en avoir besoin. Autre chose. Les réservoirs sont au max, mais on devra se ravitailler en cours de route.

— Voilà la carte, triompha Laurent.

— À vue de nez, il faudrait refaire le plein dans cette région.

— Karchi-Khanabad, fit Hélène Sanois en montrant un point précis. Il y a quelques

années, au sein d'un groupe de travail, j'y ai pris l'avion à destination des montagnes.

— Parfait, approuva Lorri. À toi de jouer, Keewat.

En quelques gestes précis, l'Indien actionna les interrupteurs de démarrage de la turbine. L'hélice tripale se mit à tourner, d'abord lentement, puis de plus en plus rapidement. L'appareil vrombit et, sans heurt, quitta son abri de tôle.

— Attachez vos ceintures ! recommanda le jeune pilote.

Jusqu'au dernier moment, Laurent s'attendait à voir échouer le plan audacieux qu'il avait mis au point. Lorsque le Cessna quitta le sol, il fut réellement soulagé. Bien sûr, tout ne faisait que commencer. Allaient-ils réussir à gagner Khanabad pour refaire le plein ? Parviendraient-ils à reprendre l'air et à rejoindre sans casse la vallée de la Bartang ? Pourraient-ils empêcher Roxane de commettre un acte désespéré, qui allait coûter la vie à des milliers de gens ? Sur ce dernier point, il n'avait aucune certitude. La jeune Ouzbek ne leur avait pas vraiment révélé le but qu'elle s'était fixé. Laurent était pourtant persuadé que son dessein était de déclencher un cataclysme sans précédent. La rupture de

la digue d'Usoi restait pour elle le seul moyen de réapprovisionner la mer d'Aral en eau. Cette mer pour laquelle elle était décidée à se battre jusqu'à la mort afin de lui redonner vie.

Le Cessna avait pris rapidement de l'altitude et venait de dépasser les mille cinq cents mètres. Les infrastructures du CERÉMA n'étaient déjà plus que de vagues jouets au-delà desquels apparaissait le miroitement de la mer d'Aral, perdue au milieu d'un océan de sable. Ce même sable qu'elle recouvrait jadis et qu'on retrouvait partout, dispersé par l'érosion, de Moujnak au Tian Shan. Ironie du sort, ce sable était également à l'origine de la fonte anormale des glaces, en haute montagne, et contribuait ainsi à l'augmentation du niveau des lacs de retenue. Celui de Sarez n'échappait pas à ce phénomène. Fallait-il y voir un dernier sursaut de la mer d'Aral pour provoquer le cataclysme même que tentait de déclencher Roxane Novoï? N'essayait-elle pas, par ce moyen, de sauver son cœur en gonflant artificiellement ses deux artères vitales qu'étaient le Syr-Daria et l'Amou-

Daria ? C'était l'image qui venait à l'esprit de Lorri lorsqu'il essayait d'imaginer la catastrophe.

Le jeune homme jeta un regard à son compagnon d'aventures. Durant le décollage, ce dernier avait eu les mains crispées sur les commandes. Le Cessna avait effectué quelques montagnes russes (Hélène Sanois avait alors fermé les yeux) avant d'entreprendre une montée plus régulière. « Pas de panique, les avait rassurés Keewat. Je maîtrise la situation. » Il avait ensuite contacté le centre de Noukous pour signaler la route qu'il comptait suivre. L'identification de l'appareil faite, la tour de contrôle lui avait transmis un code transpondeur et les suivait au radar.

— Yahou ! souffla-t-il pour se détendre. Qu'est que vous en dites ?

— C'est toi le meilleur. C'est ce que tu voulais m'entendre dire, non ?

— Tout juste, tout juste, mon chum !

— Merci de nous épauler dans cette aventure, fit Lorri en se tournant vers la géologue. On vous a un peu forcé la main. Excusez-nous.

— Ça, vous pouvez le dire ! Je me demande encore ce que je fiche ici... J'aurais

dû parler de cette affaire à Lena Remiroff et vous interdire d'aller plus loin.

— Roxane Novoï ne possède que quelques heures d'avance sur nous. Grâce à cet avion, nous avons une chance de la rejoindre, ou peut-être même de la devancer. À bien réfléchir, je ne vois pas comment elle pourrait être au lac Sarez longtemps avant nous.

— En disposant d'un jet privé, tiens ! intervint Keewat. Mais je n'y crois pas. Pour se poser dans la montagne, il faut un appareil capable de le faire, dans le genre de celui-ci... ou de celui-là, là-bas. C'est un bimoteur.

Lorri et Hélène Sanois regardèrent dans la direction indiquée. À huit heures, un deuxième avion sillonnait le ciel. Son itinéraire semblait calqué sur le leur.

— Il doit s'agir d'une liaison intérieure, expliqua l'Indien. Ou d'un appareil privé...

— Parlez-moi un peu de cette mystérieuse Roxane, demanda l'ingénieure en se rapprochant des sièges avant.

— On n'en sait guère plus sur elle que ce qu'on vous a déjà révélé. C'est une passionnée. Elle est capable de remuer ciel et terre pour défendre sa cause. Ses conférences, comme celle à laquelle nous avons assisté à Montréal,

lui ont permis d'alerter l'opinion publique mondiale sur le sort d'Aral. Que s'est-il passé dans son esprit pour expliquer sa décision de se lancer dans le…

— … terrorisme ?

— Ce n'est pas une terroriste, protesta Keewat. Sa cause est juste.

— D'accord avec toi, mon vieux. Mais les résultats seront les mêmes. Nous ne pouvons pas la laisser faire. Les choses commençaient juste à bouger, la preuve, le CERÉMA.

— Tu oublies les compagnies gazières et notre charmante amie, Nastasya la Guêpe. À mon avis, ça pourrait expliquer le geste désespéré de Roxane. Le combat devenait trop inégal.

— Les gisements découverts dans le sous-sol de la partie asséchée sont très importants, reconnut Hélène Sanois. L'économique risque de prendre le dessus sur l'écologique.

— Une fois de plus !

— Oui… une fois de plus.

Monotone, le vol se poursuivit plusieurs heures. Le contrôle aérien de Noukous avait cédé la place à celui de Samarkand. Vu à travers les vitres de l'appareil, le rôle primordial joué par les cours d'eau dans des pays aussi désertiques que ceux de l'Asie centrale était évident. Le long de leurs rives, des vallées verdoyantes se lovaient, des régions agricoles se développaient, la quasi-totalité des activités humaines y était agglutinée. Pas toujours de manière cohérente, loin s'en faut. Entre ces artères vitales, des montagnes s'élevaient, chaotiques et monstrueuses, des déserts immenses s'étendaient, où l'eau se faisait rare, où le végétal disparaissait au profit de la poussière, des sables et de la caillasse.

— Le long du Syr-Daria, plus au nord, expliqua Hélène Sanois, la vallée de la Fergana est également très fertile. C'est un des poumons agricoles du pays.

Keewat avait obliqué vers le nord-est et laissé derrière lui le cours de l'Amou-Daria. Pas question de franchir la frontière du Turkménistan, c'était trop dangereux. Après avoir refait le plein, la pénétration dans les régions montagneuses de la Bartang se ferait par le nord, afin d'éviter également toute intrusion en Afghanistan.

Une demi-heure plus tard, l'appareil se mit à descendre vers Karchi-Khanabad.

— Nous y sommes, déclara l'Indien. Ce solide coucou va pouvoir s'abreuver.

— Parbleu ! s'exclama Lorri. Qui va payer la note de carburant ? Nous n'y avons même pas songé. Et je n'ai pas un sou sur moi !

— La, la, tempéra l'ingénieure. Pas d'affolement. Je me charge de ce détail. D'ailleurs, si vous voulez mon avis, il va falloir nous équiper également de vêtements chauds. À trois mille mètres d'altitude, c'est plutôt frisquet. J'en profiterai également pour régulariser un peu notre mission. Je passerai un coup de fil au bureau géologique du coin, où je suis connue, pour leur signaler notre présence et leur fournir une raison de notre voyage là-haut. Que diriez-vous d'un repérage photo ? Vous ne m'avez pas laissé beaucoup de temps avant de décoller, mais j'ai quand même pris soin d'emporter mon Minolta.

— Vous êtes super, s'exclama Laurent. Sans vous…

— … sans vous, je ne serais pas ici.

— Très juste. Mais une catastrophe épouvantable n'aurait aucune chance d'être évitée.

— Contact sol ! annonça le Tchippewayan.

Il y avait eu un léger choc au moment où les roues avaient touché la piste, rien de plus. Un très bon point pour le pilote. « Un de ces jours, pensa Lorri en détachant sa ceinture, je lui demanderai des leçons. »

— Je me débrouille pour nous faire ravitailler en carburant, poursuivit l'Indien.

— Pendant ce temps, je fais un saut au bureau de l'aérodrome, décida Hélène Sanois. Quelques coups de fil, et je me sentirai plus en règle.

— Je vous accompagne, fit Lorri en sautant à son tour du cockpit.

Keewat renversa la tête en arrière et goba la dernière goutte de sa canette de soda. Il en avait trouvé une petite provision à l'arrière de la cabine et n'avait pas hésité à se servir. « Qu'est-ce que Lorri et Hélène fabriquent ? murmura-t-il. Le temps commence à devenir long. » Il avait vu atterrir un bimoteur. L'appareil était allé se ranger sagement au fond du tarmac. Deux personnes en étaient descendues, avant de disparaître à l'intérieur des bâtiments.

Au sol, les ombres s'allongeaient, preuve que le jour déclinait. L'Indien déplia la carte, jaugea la distance qui leur restait à parcourir avant de survoler la vallée de la Bartang, et

fit la grimace. « Nous n'y arriverons jamais. Trop loin ! Va falloir passer la nuit dans ce bled. »

Il s'écoula encore une heure avant que ses compagnons d'aventures ne réapparaissent.

— Ouf ! J'ai bien cru que nous n'aurions jamais notre autorisation, expliqua Hélène Sanois. Enfin, ça y est. Nous pouvons nous rendre au lac sans risquer de finir au fond d'un cachot ouzbek ou tadjik.

— Fichu pour ce soir, dit l'Indien. Ce serait trop risqué de voler en montagne avec le jour qui baisse.

— Eh bien, il ne nous reste plus qu'à trouver une chambre, conclut la géologue.

— Qu'en penses-tu, Lorri ?

Laurent fixa l'horizon où se dessinait la barrière montagneuse du Tian Shan. Impossible de mesurer l'avance de Roxane Novoï. S'y trouvait-elle déjà ? Sagement, il se rallia à la décision de ses amis.

— Tu as raison. Inutile de risquer nos vies stupidement.

Ils trouvèrent un petit hôtel dans les environs immédiats de l'aérodrome. Laurent et Keewat se partagèrent une chambre, face à

celle occupée par Hélène. Après s'être restaurés d'un repas plutôt frugal, ils passèrent de longues heures à discuter. Aucun des trois n'avait réellement sommeil. L'imminence de la catastrophe pesait lourdement sur leurs esprits. Bien que la logique veuille qu'elle ne se produise pas avant le lendemain, il y avait une infime possibilité pour que Roxane mette sa menace immédiatement à exécution, en se rendant sur place de nuit.

— Vous ne pensez pas qu'on devrait alerter les autorités dans ce cas ? suggéra l'ingénieure.

— Mais nous croiraient-elles ? intervint Keewat.

— D'après vous, Hélène, où se trouve l'endroit le plus judicieux pour tenter de provoquer un éboulement massif ?

— Après avoir averti le bureau géologique, j'ai contacté la Suisse. Je ne vous l'avais pas encore dit. Le directeur du département Eau, qui a réalisé une étude sur la digue d'Usoi, a fait allusion au flanc de montagne, très instable, situé à cinq kilomètres en amont de cette digue. Ce surplomb de roches et de terre mesure un kilomètre de large. Depuis plusieurs années, on y enregistre des crevasses de dix centimètres par an. Cette masse repré-

sente deux kilomètres cubes. Si elle s'écroulait dans le lac, elle engendrerait une vague de près de deux cents mètres de haut, capable de provoquer une réaction en chaîne. C'est bien ce que je pensais.

Ce que venait de révéler l'ingénieure fit monter leur angoisse d'un cran. Hélène n'avait-elle pas raison ? Ne valait-il pas mieux alerter les autorités ouzbeks pour que ces dernières prennent sans tarder des dispositions de sécurité ?

— Tout ce qu'on gagnerait, fit Lorri comme s'il se parlait à lui-même, ce serait d'être immobilisés. On devrait se lancer dans d'interminables discours afin de prouver nos dires. Qui sait si nous ne serions pas accusés de fabulation ? On ferait une enquête sur nous et quand, enfin, on nous prendrait au sérieux, la digue se serait depuis longtemps effondrée... Vous ne croyez pas ? Êtes-vous certaine, Hélène, d'être écoutée si nous décidions de nous rendre au bureau de police ?

— À mon avis, c'est déjà trop tard, coupa le Tchippewayan. Il est physiquement impossible d'évacuer ces millions de personnes avant que la catastrophe n'ait lieu. Ce ne serait déjà pas réalisable en Occident, alors ici, avec les moyens du bord...

— Vous avez peut-être raison, reconnut Hélène Sanois. Dans ce cas, il ne nous reste plus qu'à prier le ciel d'arriver à temps... ou de vous être trompés sur les intentions de Roxane Novoï.

13

La vallée de la Bartang

Ils n'avaient dormi que quelques heures, d'un sommeil plutôt agité. Aux premières lueurs du jour, ils s'étaient de nouveau envolés, laissant derrière eux la piste bitumée de Karchi-Khanabad. Le réchauffement du cockpit par la climatisation laissait à désirer. Lorri resserra frileusement le col de son blouson. Au-delà du pare-brise, la chaîne des montagnes se rapprochait inexorablement, là où tout allait se jouer.

— Tu te sens capable de voler au milieu de ces monstres ? s'inquiéta Hélène en fixant les rocs impressionnants.

— Tout ce que j'espère, laissa tomber Keewat, c'est qu'il n'y ait pas trop de turbulences. Je tâcherai d'être vigilant.

Il signala leur position au centre aérien de Douchanbe, puis inclina l'appareil sur tribord. Le cours de l'Amou-Daria apparut, distant d'une vingtaine de kilomètres.

— Nous pouvons être certains d'une chose, reprit la géologue, la digue ne s'est pas encore effondrée.

— Je vais suivre le fleuve à une altitude de trois mille cinq cents mètres, expliqua Keewat. De cette manière, nous tomberons forcément sur la vallée de la Bartang. Ensuite, le plus délicat restera à faire : atterrir sans casse.

Il eut une moue expressive, ce qui n'échappa à Lorri.

— Jusqu'ici, tu t'es débrouillé comme un as. Nous te faisons confiance.

— Ouais… C'est pas la première fois que je vole, bien sûr, mais poser un coucou au sein de la pierraille, c'est une autre histoire. Bah ! Je ferai de mon mieux. Et advienne que pourra… *Yédariyé*, que le Tout-Puissant nous aide !

Le Cessna prit graduellement de la hauteur et se mit à longer l'Amou-Daria. Par moments, les vallées disparaissaient sous les nuages. N'émergeaient plus alors que les crêtes les plus élevées, tapissées de neige, puis les

nuages finissaient par s'effilocher, dévoilant de nouveau le sol rocailleux du paysage.

— Cette région est aussi désolée que sauvage, constata Laurent. Il s'en dégage quelque chose de... solennel. C'est l'endroit tout désigné pour une apocalypse !

Tout à coup, l'avion fut secoué par une série de soubresauts. Ils traversaient une zone de turbulences.

— Y a des mots qu'il vaut mieux ne pas prononcer, railla Keewat en maintenant fermement le manche. Ne vous inquiétez pas, ça va passer. Nous venons de rencontrer un courant d'air chaud ascensionnel.

Comme l'avait prédit le pilote, le Cessna reprit bientôt une allure régulière. Il évoluait désormais à sept cents mètres du fond de la vallée, celle-ci n'ayant cessé de grimper. Les sommets environnants, quant à eux, culminaient à plus de six mille mètres. Sur les flancs accessibles des montagnes, logées dans l'anse de torrents sinueux, de petites habitations apparaissaient, là où par miracle s'était installée une maigre végétation.

— Nous approchons, fit Hélène Sanois en levant les yeux de la carte. Là-bas, c'est la digue !

Ils avaient vu, eux aussi. Un amoncellement gigantesque de pierres qu'un géant semblait avoir déposé là, comme pour s'amuser, emplissait l'horizon. Juste derrière s'étendait une étendue d'eau, couleur turquoise : le lac Sarez, « le dragon endormi ».

L'appareil avait survolé une petite bâtisse en bois qu'Hélène Sanois avait tout de suite identifiée.

— C'est le poste de surveillance, expliqua-t-elle. En principe, le gardien dispose d'un poste émetteur. Comme je vous l'ai dit, son rôle consiste à avertir les villages, situés plus en aval, lorsque survient quelque chose d'anormal. Si Roxane Novoï est passée par ici, il pourra sans doute nous renseigner.

— Nous voilà donc au pied du mur, laissa tomber Lorri. Le tout, c'est de se poser.

Le visage de Keewat était tendu. Leur sort immédiat dépendait de lui. Une fausse manœuvre, une erreur d'appréciation, et ce serait la catastrophe. Il désigna une étendue plate qui ressemblait vaguement à une piste.

— Je vais essayer là-dessus. Accrochez-vous !

Le Tchippewayan fit accomplir une large boucle à l'appareil au-dessus du lac, puis le plaça face au vent tout en coupant les gaz et en actionnant les volets. Deux cents mètres... Cent cinquante... Trente...

— Trop vite, trop vite ! hurla l'Indien.

Il tira sur le manche pour relever le nez de l'avion, puis serra les mâchoires.

— Accrochez-vous ! répéta-t-il. Je me pose !

Il y eut un choc, suivi d'un autre, puis d'interminables cahots. Le Cessna finit par s'immobiliser.

— Yahou ! cria Laurent en embrassant son compagnon sur la joue. T'es un champion !

— L'as des as, le félicita à son tour la géologue en lui déposant un baiser, non pas sur la joue mais sur les lèvres.

— Eh ben, eh ben, souffla le Tchippewayan, confus et étonné lui-même de sa prouesse. Avant de descendre, je vais placer ce brave oiseau de métal dans le bon sens. En cas d'urgence, nous pourrons immédiatement reprendre les airs.

— Et prévoyant, avec ça, ajouta Hélène en lui ébouriffant les cheveux.

— Je m'étonne de ne pas apercevoir âme qui vive, dit Lorri en désignant la cabane du surveillant. Ça ne doit pourtant pas être chose courante que de voir atterrir un avion dans les parages.

À peine venait-il de terminer sa phrase qu'un bruit de moteur se superposa à celui de leur Cessna. Keewat coupa les gaz et ils sautèrent au sol. Un second appareil les frôla en rase-mottes. Il refit un passage, puis s'éloigna vers la vallée.

— Qui c'était, ce nouvel oiseau ? interrogea Laurent.

— Curieux, mais il ressemble comme deux gouttes d'eau au bimoteur qui s'est posé à Karchi-Khanabad, et...

— C'est celui qui nous a escortés entre le CERÉMA et l'aérodrome, non ? Dépêchons-nous, j'ai un drôle de pressentiment.

Lorri tourna les yeux vers son compagnon.

— Alors, tu viens ? Qu'est-ce qui t'arrive ?

— Sais pas, murmura l'Indien. *Edzil... nni na oudlé.* Moi aussi, j'ai une mauvaise impression. Nous ne sommes pas seuls dans ces montagnes.

— Bien sûr, puisqu'en principe, si nous avons vu juste, Roxane s'y trouve aussi.

— Il ne s'agit pas d'elle… Non, pas elle. *Déné-chesh-yapé*… La montagne habitée.

— Bon, si vous arrêtiez de délirer, tous les deux, protesta Hélène Sanois. Je me sens mal à l'aise avec vos prédictions de malheur. Allons plutôt rendre visite au gardien.

Ils franchirent rapidement la distance qui les séparait de l'habitation. La porte était grande ouverte.

— Y a quelqu'un ? cria la géologue. Ohé !

— Entrons, décida Laurent. Le bonhomme est peut-être dur d'oreille.

— Et aveugle ! ajouta Keewat. Pour ne pas nous avoir vu atterrir. Et de si belle manière…

— Vous entendez ce bruit ? fit Hélène Sanois. On dirait de la vapeur qui siffle.

Ils empruntèrent un couloir avant de pénétrer dans une pièce de trois mètres sur trois.

— Voilà l'origine de tout ce raffut, constata Laurent en éteignant un réchaud sur lequel crachait une bouilloire. Elle est quasiment vide.

— Où est notre homme ? s'inquiéta l'ingénieure.

Ils fouillèrent le poste de surveillance de fond en comble sans mettre la main sur son occupant.

— Il est peut-être allé faire un tour, suggéra Laurent.

— En laissant sa bouilloire sur le feu ? intervint Keewat. Plutôt bizarre !

— Ouais, je suis de ton avis. Et si Roxane l'avait forcé à la suivre pour l'empêcher de signaler sa présence dans les montagnes ? Mon explication se tient, non ? En attendant, nous ne pouvons pas moisir ici. Hélène, où se trouve le rocher instable ?

— À cinq kilomètres dans cette direction, indiqua-t-elle en désignant le lac.

— Bon, allons-y. Tiens, on dirait un hélicoptère. Décidément, tout le monde s'est donné rendez-vous ici !

Laurent ne se trompait pas. Un gros engin de teinte foncée descendait lentement vers le sol. Il repéra tout de suite le sigle, de couleur jaune, dessiné sur son nez. Une appréhension le submergea. Le sigle du DARD !

Les deux compagnons se dévisagèrent. L'appareil qu'ils avaient devant les yeux n'était

rien de moins qu'un oiseau de mauvais augure. Cinq membres d'équipage mirent pied à terre. Parmi eux, une silhouette monstrueuse et une autre, gracile, qu'ils reconnurent immédiatement : Okto, le *sumotori,* et Nastasya Wasp, la Guêpe ! Ils ne s'étonnèrent pas de voir surgir entre leurs mains plusieurs armes automatiques.

D'un geste rapide, Nastasya désigna le poste de surveillance. Aussitôt, un des membres du groupe y pénétra pour en revenir bredouille quelques minutes plus tard. Pendant ce temps, la chef suprême de l'organisation DARD avait entamé la conversation :

— Comme on se retrouve ! Voilà de vieilles connaissances !

— Qui est cette personne ? demanda Hélène Sanois.

— Mademoiselle Nastasya Wasp, jeta Lorri, les dents serrées. Nous vous avions parlé d'une organisation mafieuse à la solde des compagnies gazières, voici celle qui la dirige.

— Où est Roxane Novoï? interrogea la jeune femme.

— Nous aimerions le savoir autant que toi, répliqua Keewat. Qu'est-ce que tu fiches par ici ? Y a du gaz dans le coin ?

— Vous allez entrer sagement là-dedans, poursuivit-elle en ignorant le sarcasme de l'Indien. Nous y serons plus à l'abri.

Sous la menace des armes, ils furent contraints de pénétrer à l'intérieur du poste. L'interrogatoire commença. Que faisaient-ils ici, eux aussi ? Quel était le but poursuivi par Roxane Novoï ?

D'abord réticent, Lorri voyait le temps s'écouler dangereusement. À chaque instant, il s'apprêtait à entendre le grondement du cataclysme. Comment rejoindre la meneuse des « Larmes d'Aral » et lui faire renoncer à son projet insensé s'ils n'étaient plus libres de leurs mouvements ? Des milliers de vie étaient en jeu.

— Vous feriez mieux de tout lui dire, intervint Hélène Sanois. Si vous ne vous êtes pas trompés, le temps presse.

— Finies les cachotteries, renchérit Nastasya. Suivez le conseil de votre amie. Parlez !

Lorri se livrait un rude combat intérieur. Avouer les intentions de Roxane, n'était-ce pas la condamner ? Quelle serait la réaction de Nastasya Wasp lorsqu'elle apprendrait la menace qui pesait sur le pays et, indirectement, sur ses employeurs, les compagnies

gazières ? D'un côté, il y avait l'attachement et l'admiration qu'il ressentait pour la jeune rebelle ; de l'autre, les milliers de vies que, par son geste désespéré, elle s'apprêtait à supprimer. Le regard approbateur de son compagnon d'aventures le poussa à se jeter à l'eau :

— La réponse est derrière toi, commença le Québécois. À quelques kilomètres d'ici se trouve un pan de montagne très instable. Roxane… a le projet de provoquer un éboulement pour rompre son équilibre. Comment ? Sans doute à l'aide de puissants explosifs. Nous ne sommes sûrs de rien, mais si ce pan s'écroule, il tombe dans le lac.

— Ce qui provoquera un véritable tsunami, poursuivit Hélène Sanois. Je suis géologue, je sais de quoi je parle. Une vague de près de deux cents mètres de hauteur va déferler vers la digue, là où nous sommes. Cent cinquante millions de mètres cubes d'eau vont dégringoler dans la vallée, fracassant tout sur leur passage. L'effet dévastateur se fera sentir jusqu'à la mer d'Aral.

— C'est une blague ? coupa Nastasya Wasp, incrédule.

— Pas du tout, intervint à son tour Keewat. Et plus le temps passe, plus nous sommes

à deux doigts d'une effroyable catastrophe. Nous avons tout à y perdre, à commencer par la vie. Ah ! pour cela, nous serons aux premières loges, crois-moi !

Un silence pesant s'installa entre les prisonniers et les membres de l'organisation DARD. Nastasya Wasp le rompit violemment.

— Où est Roxane Novoï? hurla-t-elle.

— Nous pensons qu'elle se dirige vers le flanc de la montagne dont nous venons de parler, répondit Hélène Sanois. Il n'est peut-être pas trop tard pour l'intercepter.

— Vous venez avec nous, commanda la chef du DARD en agrippant la manche d'Hélène. Vous deux, vous restez ici sous bonne garde. Okto, tu te charges d'eux.

Les deux femmes gagnèrent l'extérieur. Laurent et Keewat suivirent l'ingénieure des yeux. Ils se sentaient responsables de sa situation. Ils entendirent le rotor de l'hélicoptère se mettre en marche, puis l'engin s'éloigner.

14

La mer qui ne voulait pas mourir

Hélène Sanois n'avait opposé aucune résistance lorsqu'on l'avait poussée à bord de l'hélicoptère. C'eût été inutile. Elle avait jaugé du regard la femme assise sur le siège en face d'elle. Malgré son jeune âge, cette diablesse était incroyablement déterminée. D'où venait-elle ? Quant aux hommes qui l'entouraient, leur allure de mercenaires expérimentés ne faisait que renforcer cette aura de violence.

— Montrez-nous le chemin, ordonna Nastasya Wasp.

Hélène se pencha vers la fenêtre la plus proche, prit quelques secondes pour se repérer, et désigna une zone devant eux.

— Là, ce flanc de montagne.

La chef du DARD commanda au pilote de se rapprocher du sol. Ils repérèrent rapidement plusieurs petites silhouettes qui tentaient de se mettre à couvert.

Nastasya Wasp fit un geste. Un de ses hommes ouvrit la porte coulissante et s'y posta, armé d'une mitrailleuse.

— Qu'est-ce que vous faites ? s'inquiéta la géologue avec émotion.

— Nous débarrasser d'une menace, tout simplement.

L'appareil descendit encore et piqua vers un des fuyards. Malgré les vêtements épais qui l'habillaient, ils reconnurent la morphologie d'une femme.

— Vos amis canadiens avaient raison, reprit Nastasya. C'est Roxane Novoï... Serguei, tu la tues.

Hélène Sanois hurla.

— Mais vous ne pouvez pas faire ça ! Vous...

Sa voix fut couverte par une rafale assourdissante. Une épouvantable odeur de poudre et de métal surchauffé envahit la cabine. Le vacarme se répéta à plusieurs reprises tandis que l'hélicoptère se déplaçait par petits bonds. Tout à coup, il n'y eut plus que le bruit du rotor. Serguei se retourna vers Nastasya Wasp

sans que son visage ne trahisse le moindre sentiment. Il fit un signe de son pouce levé.

Hélène Sanois bondit vers la fenêtre. L'horreur la submergea. Quelques mètres plus bas, étendus dans la pierraille, quatre corps gisaient, maculés de sang. Oh, bien sûr, comme tout le monde, des cadavres, elle en avait vu plus qu'il n'en fallait sur les écrans de télévision. Journaux du soir, films violents, retransmissions de guerres, lointaines ou proches, comme celles qui, régulièrement, agitaient cette région frontalière avec l'Afghanistan... Les médias ne lésinaient pas sur les images sanglantes. Ici, cependant, la répugnance prenait une autre dimension. Elle avait assisté en direct à la scène. Elle retomba sur son siège, anéantie, tandis que l'hélicoptère se posait à proximité des cadavres. Un des mercenaires quitta la cabine, puis revint, porteur d'un engin de petite taille, qui paraissait assez lourd. Hélène devina qu'il s'agissait d'une bombe.

Keewat et Laurent se tenaient cois. Qu'auraient-ils pu dire ou faire, d'ailleurs ? Okto et le second garde, chargés de les surveiller, ne parlaient probablement ni le français ni l'anglais. Il ne leur restait qu'à attendre le retour de Nastasya Wasp.

Lorri avait mis à profit cette immobilité forcée pour réfléchir. Le DARD les avait talonnés depuis la mer d'Aral, c'était évident. L'organisation avait probablement mis le Centre sous surveillance. On les avait vus décoller. Un appareil, un bimoteur, parti il ne savait d'où, les avait suivis dans les airs, s'était posé à Khanabad, avant de les escorter à distance jusqu'au lac Sarez. Ses occupants avaient contacté Nastasya Wasp qui devait être dans les parages. À son tour, elle avait rejoint la vallée de la Bartang. La rapidité avec laquelle était arrivée la chef de l'organisation terroriste démontrait que le DARD possédait un repère au Tadjikistan. Dans l'immédiat, il se demandait comment tout cela allait finir. Il s'attendait à sentir trembler le sol et à voir surgir la gigantesque trombe d'eau que leur avait promise Hélène si Roxane parvenait à ses fins. Le visage tendu de son compagnon indien n'avait rien de rassurant. Par moments, ce dernier récitait de courtes prières en tchippewayan, auxquelles Laurent ne comprenait rien. Il devinait qu'elles avaient un rapport avec ces montagnes aux alentours et ce lac dont la tranquillité n'était qu'illusoire.

« Le dragon endormi ». Décidément, il méritait bien son nom.

Le rotor de l'hélicoptère se fit de nouveau entendre. Quelques minutes plus tard, l'engin se posait.

Nastasya Wasp pénétra dans la pièce où étaient retenus prisonniers les deux jeunes hommes, suivie d'Hélène Sanois. En voyant le visage décomposé de la géologue, ils devinèrent que quelque chose de grave s'était passé.

— Vous aviez vu juste, les gars, annonça triomphalement la chef du DARD. Roxane Novoï était bien décidée à aller jusqu'au bout de sa folie. Nous l'en avons empêchée. Elle ne nous mettra plus de bâtons dans les roues.

— Morte… ils l'ont tuée, laissa tomber l'ingénieure en réponse aux yeux interrogateurs des deux jeunes hommes.

— C'est le sort que l'on réserve aux terroristes, enchaîna Nastasya Wasp. Ses acolytes transportaient des bombes d'un type récent, de forte puissance, malgré leurs tailles réduites. J'ignore si elles auraient été capables de provoquer l'éboulement dont vous avez parlé. Ce qui est sûr, c'est que, désormais, tout danger est écarté.

Keewat se leva précipitamment. Il se mit à haleter, comme s'il était en transe, coupant nette la colère que Lorri sentait monter en lui.

— *Nni-odha... Déné-chesh-yapé... Thé-naïnltther*[1]...

— Qu'est ce qui lui...

Nastasya Wasp n'acheva pas sa phrase. Elle aussi avait ressenti la secousse, tout comme ses hommes de main qui, cette fois-ci, parce qu'ils devinaient que le danger les dépassait, présentaient des signes visibles d'agitation.

— Mon Dieu, murmura Hélène Sanois, c'est un tremblement de terre.

Loin de s'apaiser, le phénomène se mit à croître. Les murs de l'habitation se lézardèrent, la vaisselle se fracassa sur le sol, la lampe suspendue se balança avec un angle de quarante-cinq degrés.

— Tous dehors ! hurla Lorri, sans se préoccuper des armes que tenaient les mercenaires.

Ce fut la ruée. Hommes et femmes traversèrent l'étroit couloir en se bousculant, puis s'éparpillèrent à l'extérieur. Ils avaient

---

[1] La bouche terrestre... La montagne habitée... Le rocher qui branle...

de plus en plus de difficulté à rester debout. Des rochers se mirent à dégringoler des pentes environnantes, puis un grondement monstrueux, à glacer le sang, se fit entendre.

— Le pan de montagne, cria Hélène Sanois, il se détache, regardez !

À l'endroit où Roxane Novoï avait rencontré son destin peu de temps auparavant, le roc semblait animé d'une vie propre. Une plaque d'un seul tenant, de dimensions colossales, glissait vers le lac.

— Tous aux appareils ! C'est notre seule chance, vociféra Lorri, au bord de la panique.

Ils n'avaient qu'un but désormais : sauver leurs vies. Nastasya Wasp courut vers l'hélicoptère, encadrée de ses hommes. Keewat piqua un sprint vers le Cessna afin d'actionner le moteur dans les plus brefs délais.

Lorri trébucha contre une pierre et s'étala de tout son long. Hélène Sanois arriva à sa hauteur, l'aida à se redresser, puis, main dans la main, les fuyards repartirent de plus belle. Ils s'arrêtèrent à quelques mètres de l'avion et regardèrent en direction du lac. Un soufle de plus en plus fort sifflait à leurs oreilles.

— La vague, expliqua l'ingénieure d'une voix cassée par l'effroi, elle arrive ! Elle chasse l'air de la vallée.

— C'est pour aujourd'hui ou pour demain ! paniqua le Tchippewayan, installé aux commandes, où, par bonheur, le moteur avait tourné du premier coup.

Lorri et Hélène étaient pétrifiés. Un mur d'eau de dimensions titanesques venait d'apparaître. Des détonations fracassantes retentissaient, témoignant de l'éclatement des tonnes de roches projetées les unes contre les autres. Ils réussirent enfin à s'arracher à la contemplation morbide de la mort qui dévalait vers eux à la vitesse d'un train express, et bondirent dans le cockpit. À bord, Lorri dévisagea son compagnon d'aventures. Plus que jamais, leur sort était entre ses mains.

Le Cessna cahota de plus en plus vite sur la mauvaise piste qui lui servait d'aire d'envol. Chaque secousse un peu plus appuyée que les précédentes provoquait un emballement de leurs cœurs. Ce n'était pas le moment de faire une crise cardiaque ! Derrière eux, le tsunami enflait encore et encore… Sa crête était auréolée de vapeur d'eau et ressemblait à une armée de chevaux dont les crinières tressautaient sous un galop enragé. Lorri se rappela l'histoire du professeur de Grands-Murs. Était-ce l'armée des Saka qui dévalait la montagne pour venger Roxane ? Roxane… La-

quelle ? La bien-aimée d'Alexandre le Grand ou celle qui s'était battue jusqu'à la mort, pour sauver la mer d'Aral ?

Keewat transpirait des gouttes aussi grosses qu'un ongle. Il réussit à arracher le Cessna du sol. Soudain libéré, l'appareil prit de plus en plus de hauteur.

Lorri chercha des yeux l'hélicoptère appartenant au DARD. Il ne le trouva pas.

— La vague nous rattrape, hurla Hélène Sanois, elle va passer en dessous de nous.

La masse d'eau était monstrueuse. L'espace d'un instant, ils purent croire qu'un geyser, expulsé de la masse, allait les transpercer comme on cloue un papillon. Il n'en fut rien. Le mur liquide les dépassa pour, quelques secondes plus tard, percuter la digue.

Keewat inclina fortement l'appareil pour éviter la zone où avait lieu l'affrontement titanesque. Malgré le ronronnement du moteur, ils entendirent l'effroyable fracas. Le Cessna fut secoué dans un tourbillon d'air comme s'il ne pesait pas plus qu'une plume. Grâce à la poigne du Tchippewayan, il tint bon.

Une grosse partie de la digue d'Usoi avait explosé et, par la brèche, les millions de mètres cubes d'eau du lac Sarez s'abattaient dans la vallée.

— Mon Dieu ! Mon Dieu ! sanglota Hélène Sanois. Des milliers de gens vont périr !

— Papa, murmura Laurent, la gorge nouée.

L'enfer se déchaîna. Emprisonnée dans la vallée qui lui servait de guide, la vague accéléra. Sa vitesse atteignit les cent kilomètres à l'heure, puis les dépassa. Cette furie s'abattit sur les villages et les villes construits sur le cours de l'Amou-Daria, le long des frontières de l'Afghanistan, du Tadjikistan, du Turkménistan et de l'Ouzbékistan. Des infrastructures entières, comme les complexes hydroélectriques, furent anéanties. Des gens eurent le temps de prévenir les régions plus en aval, mais il fut impossible de parer la colère des eaux. Grossi à l'extrême, le fleuve lança ses tentacules à l'assaut des colonnes de véhicules qui tentaient de fuir vers les régions non exposées. Ces colonnes furent balayées, entraînées par des tourbillons dévastateurs. En quelques heures à peine, les victimes se comptaient déjà par dizaines de milliers. Des corps informes et démembrés d'humains et d'animaux percutaient d'autres corps. Les

cadavres roulaient aux rythmes des flots, pressés, eût-on dit, de rejoindre enfin leur mère, l'Aral, la mer qui ne voulait pas mourir.

L'Amou-Daria, à qui l'on avait pompé le fluide vital pendant des décennies, retrouvait sa fierté d'antan. Le fleuve balaya les systèmes d'irrigation des terres agricoles gagnées sur les déserts, laboura les immenses champs de coton.

Prévenu par radio par Hélène Sanois, le CERÉMA avait déserté le delta asséché du fleuve. Toutes les équipes avaient gagné en catastrophe l'intérieur du pays où, en principe, elles ne seraient plus en danger. Laurent avait réussi à obtenir une liaison téléphonique avec la mission de Moujnak d'Olivier Saint-Pierre. Il avait hurlé dans le combiné avant que la liaison ne soit brusquement coupée. Il avait malgré tout eu le temps d'avertir son père du péril qu'il y avait à rester dans la bourgade.

Quelques heures après qu'ils eurent assisté à l'effondrement de la digue d'Usoi, le Cessna les avait emportés vers les basses terres, dans la région de Douchanbe. La nouvelle de la catastrophe était déjà parvenue jusque-là. Après l'incrédulité des premiers moments, les secours tentaient maintenant de réagir et de s'organiser. Les minutes s'égrenant, les

informations colportées s'étaient faites plus nombreuses, jusqu'au moment où les premières images étaient apparues sur les écrans de télévision. Un vent de panique avait alors soufflé sur la région entière.

Keewat avait refait le plein en carburant et ils avaient repris l'air pour gagner la région d'Aral. En dépit de la vitesse de leur appareil, ils savaient qu'ils ne pourraient rejoindre Moujnak avant l'arrivée des eaux dans le delta.

Leur retour vers la mer d'Aral fut un véritable chemin de croix. Tant de souffrance défilait sous leurs yeux... Tant de dévastations... Ils avaient décidé de survoler l'Amou-Daria pour se rendre compte de l'étendue du désastre.

Avec tristesse, Laurent ne pouvait s'empêcher de penser à Roxane Novoï. La mer d'Aral allait être de nouveau approvisionnée en eau. Elle la tenait, sa vengeance. À quel prix ! Une eau chargée de cadavres et débordant de décombres ; une région entière dévastée, sur des centaines de kilomètres ; des pays qui ne s'en remettraient peut-être jamais ; les travaux du CERÉMA réduits à néant, et les compagnies gazières qui devraient sans doute renoncer définitivement à leurs projets.

Quelle vengeance, en effet ! La mer ne mourrait pas. La Nature était venue au secours d'elle-même, selon un pacte qui échappait aux hommes.

Épilogue

À bout de course, les eaux avaient finalement atteint le delta et y déposaient, avec religiosité, les débris charriés depuis les montagnes. Vue du ciel, la zone ressemblait à une gigantesque décharge, et parfois, à un effroyable charnier. Était-ce une manière de se purifier avant de rejoindre définitivement la mer d'Aral ?

L'ampleur du désastre avait alerté les secours internationaux, auxquels s'étaient intégrés immédiatement les membres du CERÉMA. La catastrophe ayant changé la donne, le travail sur l'écosystème était suspendu pour l'instant. Scientifiques et subalternes s'étaient regroupés à Moujnak. Maigre consolation, la ville n'avait pas été épargnée par les inondations, mais elle avait échappé à la colère dévastatrice des eaux.

Lorsque Laurent avait retrouvé Olivier Saint-Pierre, sain et sauf, il n'avait pas retenu sa joie. Il était tombé dans les bras de son père en ayant beaucoup de mal à retenir ses larmes. « On a besoin de muscles, ici, avait dit le médecin, avec émotion. Par pitié, plus d'eau ! Seigneur, quelle catastrophe... »

— Ce que nous avons vu en descendant le fleuve, est horrible, papa. Dis-nous ce que nous devons faire.

Keewat, Hélène et Laurent s'étaient immédiatement improvisés aides soignants pour s'occuper des réfugiés. Ils passèrent ainsi plusieurs semaines, se dépensant sans compter pour soulager ceux qui en avaient le plus besoin. Ce fut un travail harassant. Le Tchippewayan seconda également Sam, le pilote, dans ses allers et retours vers la capitale. Il fallait impérativement enrayer les épidémies qui risquaient de se répandre à travers toute la contrée. L'avion leur permit de distribuer vaccins et désinfectants.

Un soir, les deux jeunes aventuriers s'accordèrent un peu de repos sur une corniche dominant la mer. L'eau, descendue du lac Sarez, commençait à redonner vie à cette partie asséchée d'Aral.

Lorri songea à Roxane. Son fantôme hanterait les lieux longtemps, il en était certain. La disparition de la militante écologiste le peinait vraiment. Il s'en voulait, car, à bien y penser, il était un peu à l'origine de sa mort. Il l'avait livrée au DARD. Personne ne pourrait jamais expliquer ce qui s'était passé. Un tremblement de terre, bien sûr, mais à part ça ? N'était-il pas survenu bizarrement ? Ne fallait-il voir, dans cette manifestation violente de la Nature, qu'un simple hasard ? Et qu'était devenue Nastasya Wasp ? Elle avait probablement échappé au péril. Si tel était le cas, le drame ne l'empêcherait pas de poursuivre ses activités. Un jour ou l'autre, la presse reparlerait d'elle, de cela aussi il en était certain. Il jeta un coup d'œil à son compagnon d'aventures. Des événements de cette sorte, proches du surnaturel, le plongeaient toujours dans une méditation profonde. Pour lui, ils étaient des fenêtres ouvertes sur un monde caché, où s'agitaient des forces incontrôlées.

Lorri repoussa le fantôme de Roxane Novoï de son esprit et pensa à Cynthia. Dans une quinzaine de jours, il quitterait l'Ouzbékistan. Sa mission – et quelle mission – avait été noyée dans la tourmente. Il comptait regagner

Montréal afin de prendre un peu repos, chez lui, dans son appartement. Avant cela, il transiterait par Paris et tenterait de la persuader de l'accompagner au Québec, c'était décidé.

— Tu crois qu'il va y arriver ? demanda soudain le Tchippewayan en désignant un point précis devant eux.

— Il fait des efforts, en tout cas, répondit Laurent. Ça serait bien s'il parvenait à se relever.

— Il va y arriver cette fois, affirma l'Indien. Regarde.

— Ouais ! Allez, il faut l'encourager.

Ils se mirent à gesticuler et à claquer des mains. Puis ils se laissèrent aller à une explosion de joie. Là-bas, soulevé par la mer dont la surface grandissante l'avait de nouveau cerné, après bien des années passées à agoniser dans les sables, le vieux cargo s'était redressé.

Une brise se leva soudain, s'engouffrant dans les membrures rouillées du pont, puis dans les vestiges de la cabine. Ils crurent entendre le rire d'une jeune femme. Hasard ou illusion ? Un mugissement enroué sortit ensuite par la sirène :

« Toooooot ! »

Keewat et Lorri échangèrent un regard incrédule. Non, la mer n'était pas morte. Ni Roxane. Ils en avaient maintenant l'intime conviction.

Après *Les Messagers d'Okeanos,*
Sur la piste des Mayas,
Les démons de Rapa Nui,
Mission en Ouzbékistan

Retrouvez

Laurent Saint-Pierre

dans une
prochaine aventure :

Le sanctuaire des Immondes

de Gilles DEVINDILIS
dans la Collection CHACAL

Également, un site Internet
à l'adresse suivante :

http://perso.wanadoo.fr/gilles.devindilis/

TABLE DES MATIÈRES

Gilles Devindilis

Gilles Devindilis est français. Ses ancêtres sont des Acadiens, revenus s'installer en Bretagne, à Belle-Île, après leur déportation. Depuis son adolescence, Gilles aime les aventures mystérieuses et fantastiques. Pour lui, l'écriture est une façon de faire triompher le bon sens et le respect de la nature. Pour écrire le quatrième tome des aventures de Laurent Saint-Pierre, il s'est considérablement documenté sur la région de la mer d'Aral et, à l'instar de son héros, il a été épouvanté de ce qu'il a découvert.

COLLECTION CHACAL

1. *Doubles jeux,*
   de Pierre Boileau, 1997.
2. *L'œuf des dieux,*
   de Christian Martin, 1997.
3. *L'ombre du sorcier,*
   de Frédérick Durand, 1997.
4. *La fugue d'Antoine,*
   de Danielle Rochette, 1997 (finaliste au Prix du Gouverneur général 1998).
5. *Le voyage insolite,*
   de Frédérick Durand, 1998.
6. *Les ailes de lumière,*
   de Jean-François Somain, 1998.
7. *Le jardin des ténèbres,*
   de Margaret Buffie, traduit de l'anglais par Martine Gagnon, 1998.
8. *La maudite,*
   de Daniel Mativat, 1999.
9. *Demain, les étoiles,*
   de Jean-Louis Trudel, 2000.

10. *L'Arbre-Roi,*
de Gaëtan Picard, 2000.

11. *Non-retour,*
de Laurent Chabin, 2000.

12. *Futurs sur mesure,*
collectif de l'AEQJ, 2000.

13. *Quand la bête s'éveille,*
de Daniel Mativat, 2001.

14. *Les messagers d'Okeanos,*
de Gilles Devindilis, 2001.

15. *Baha-Mar et les miroirs magiques,*
de Gaëtan Picard, 2001.

16. *Un don mortel,*
de André Lebugle, 2001.

17. Storine, l'orpheline des étoiles,
volume 1 : *Le lion blanc,*
de Fredrick D'Anterny, 2002.

18. *L'odeur du diable,*
de Isabel Brochu, 2002.

19. *Sur la piste des Mayas,*
de Gilles Devindilis, 2002.

20. *Le chien du docteur Chenevert,*
de Diane Bergeron, 2003.

21. *Le Temple de la Nuit,*
de Gaëtan Picard, 2003.

22. *Le château des morts,*
de André Lebugle, 2003.

23. Storine, l'orpheline des étoiles,
volume 2 : *Les marécages de l'âme,*
de Fredrick D'Anterny, 2003.

24. *Les démons de Rapa Nui,*
de Gilles Devindilis, 2003.

25. Storine, l'orpheline des étoiles,
volume 3 : *Le maître des frayeurs,*
de Fredrick D'Anterny, 2004.

26. *Clone à risque,*
de Diane Bergeron, 2004.

27. *Mission en Ouzbékistan,*
de Gilles Devindilis, 2004.